TORCUATO S. DI TELLA

TORCUATO DI TELLA

INDUSTRIA Y POLITICA

TESIS
GRUPO
EDITORIAL
norma

Argentina, Brasil, Colombia, Costa Rica, Chile,
Ecuador, EE.UU., España, Guatemala, México, Panamá,
Puerto Rico, Venezuela

Editor: Leandro de Sagastizábal
Diseño de Tapa: Irene Banchero
Composición: Interamericana Gráfica S.A.
Corrección: María Emma Barbería

© 1993 Derechos reservados por

TESIS – GRUPO EDITORIAL NORMA
San José 831/5
(1076) Buenos Aires, República Argentina
Teléfonos: 372-7330/6/7/9
Empresa adherida a la Cámara Argentina del Libro

Primera edición: Abril 1993

I.S.B.N.: 950-718-075-3

Hecho el depósito que marca la ley 11.723

Impreso en Argentina

INDICE

Nota Acerca de las Fuentes Usadas

La información que se ha usado para este trabajo es principalmente de tipo documental, incluyendo además entrevistas con familiares y amigos del biografiado, recuerdos personales, y periódicos de la época. Entre las fuentes documentales empleadas se destacan las siguientes:

1. Archivo SIAM, parte de las Fuentes Documentales para el Estudio de la Historia Empresaria Argentina, existente en el Instituto Torcuato Di Tella, 11 de setiembre 2139, Buenos Aires.

2. Archivo Centrale dello Stato, Casellario Politico Centrale, Roma. Se usó el Fascicolo 64.831, "Torquato Di Tella" (64 folios), fotocopiado y cedido gentilmente por el Dr. Bruno Tobia, de Roma. El volumen está en la Biblioteca del Instituto Torcuato Di Tella, catálogo número 35521.

3. Archivo personal de la familia Di Tella, con pocos documentos, incluyendo sobre todo las cartas entre Torcuato y María Robiola, que sería luego su esposa, en la primera época de su noviazgo.

4. Colección completa del periódico L'Italia del Popolo, en el Centro de Estudios Migratorios Latino Americanos (CEMLA), Independencia 20, Buenos Aires.

5. Periódicos varios, en originales y en microfilm, en el Archivo del Movimiento Obrero, de la Fundación Simón Rodríguez, Güemes 3950, Buenos Aires.

Mucho material ha sido obtenido de entrevistas con Emilia Di Tella de Caserta, Guy Clutterbuck, Alberto, Armando y Felipe Di Tella, Jorge y Mario Gilli, Giuseppe y Ennio Presutti, Mario Robiola, Blanca Di Tella de Uriarte, aparte de memorias personales mías y de mi hermano Guido. Algunas de estas entrevistas han sido realizadas por Lidia de la Torre, en un proyecto de recopilación de información desarrollado en el año 1980.

Para no recargar excesivamente este volumen, no he hecho, en cada lugar, referencia a la fuente específica usada. Quienes quieran usar esa información pueden consultar una versión del manuscrito de este libro, con todas las referencias puntuales, en la biblioteca del Instituto Di Tella.

Quiero agradecer especialmente al Lic. Horacio Gaggero por su ayuda en la investigación del medio histórico y empresario de la época.

Prefacio,
o Sea Intento de Justificacion

Unas pocas palabras de justificación se necesitan, caro lector. ¿Cómo podría yo haber roto tanto las reglas del protocolo, como para escribir un libro sobre mi padre? Cierto es que — como lo verán quienes se adentren en el texto — él no amaba mucho el protocolo, y esto parece ser hereditario en la familia. Pero hay veinte mil otros motivos para no escribir un libro sobre el propio padre, empezando por las caras que pondrán algunos de mis colegas. Además ya existe un libro sobre el tema, aunque concentrándose en el aspecto empresario, el de Thomas Cochran y Rubén Reina, *Espíritu de empresa en Argentina* (Buenos Aires, 1965).

Por otra parte, se dirá, y con razón, que sufriré de falta de perspectiva, o más bien de objetividad: porque si perspectiva es la que da el tiempo, desgraciadamente, de eso ya he adquirido una buena dosis ahora que soy más viejo que mi padre. Puedo incluso apreciar, desde mis canas, lo joven que él era, no sólo por su edad (tenía cincuenta y seis años al morir) sino porque nunca se curó de su romanticismo, que escondía sin demasiado éxito bajo su piel de industrial pragmático.

Dicen los ingleses: "the past is a foreign country". Yo, al sumergirme en este pasado he encontrado una Argentina muy distinta de la de hoy, una Italia y unos inmigrantes también diferentes. Pero me he encontrado un poco a mí mismo, y eso ayuda a reparar líneas rotas, porque "nulla res ex nihilo", como intuía el poeta latino. Quizás estas páginas sirvan a otros para descubrir continuidades semejantes. Es por eso que me animo a publicarlas.

Torcuato S. Di Tella

CAPITULO I

ALLA LEJOS Y HACE TIEMPO

La aldea de Capracotta, enclavada en lo más alto de los Apeninos, en los Abruzzi, extremo norte del Reino de Nápoles, estaba a mediados del siglo XIX muy olvidada del mundo y olvidada por él. Sus pocos centenares de habitantes se dedicaban a cuidar sus ovejas, y llevarlas a pastorear en el invierno al más templado Tavoliere delle Puglie, como habían hecho sus antepasados los samnitas desde tiempos inmemoriales. Los pocos chicos que iban a la escuela lo primero que aprendían era la paliza que les habían dado a dos ejércitos romanos, haciéndoles sufrir la ignominia de pasar por debajo de las Horcas Caudinas, unas especies de arcos de fútbol bajos, para cruzar los cuales los invencibles tenían que inclinarse ante el jefe de la tribu. En realidad, después vino un tercer ejército romano, pero lo que sucedió entonces sólo lo sabían los seminaristas.

Para los capracotteses no había peor cosa, después de los romanos, que los de Agnese, ese pueblito que en días buenos uno podía divisar subiéndose a la montaña, y que competía con ventaja en todo. Mucho más lejos, en la fabulosa Nápoles, reinaban los Borbones, grandes señores que hablaban — y gobernaban — como *lazzaroni*.

Nápoles era una de las ciudades más pobladas de Europa, pero al mismo tiempo una de las más pobres, con una gran cantidad de marginales, trabajadores sin calificación y subocupados crónicos, llamados *lazzari* o *lazzaroni*. Este sector, típico de ciertos grandes centros urbanos preindustriales, formaba una plebe rebelde que sólo podía ser domada con el terror, con las ampollas de San Gennaro, y con la prodigalidad demagógica de la dinastía reinante. Fernando IV (1759-1806), a quien le tocó resistir el embate de la Revolución Francesa con la ayuda del

11

sanguinario y popular Cardenal Ruffo, era llamado "el rey lazza-rone", quizás por su poca afección al trabajo, o por la forma en que pronunciaba el dialecto local.

A pesar de eso el común de la gente idolatraba a la monar-quía y a los curas, desconfiaba de los burgueses, y odiaba a los barones, plaga muy desarrollada en ese país. El Reino de Nápo-les contaba con la más numerosa, empobrecida y explotadora nobleza, que incluía a centenares de príncipes, generando una verdadera *inflación de status*, que era una parte central del sis-tema de gobierno de la época.

En Capracotta, por supuesto, había varios miembros de esa pequeña nobleza, verdaderos cabezas de ratón, a los que el pueblo llamaba "gamme cuotte" (gambe cotte), porque tenían las piernas rojas de tanto pasar el invierno sin hacer gran cosa, ante sus hogares encendidos. Uno de ellos era el último Barón de Sesano, Giuseppe Tomaso di Tella (casado con una prima, Teresa di Tella), que veía menguar su patrimonio, aunque toda-vía poseía una sólida casa de piedra "piena di ogni ben di Dio", y algunas tierras y ovejas. Los tiempos no eran buenos, y para poder sobrevivir se había tragado su orgullo y hacía un poco de comercio, trayendo pescado desde la costa. Pero las cosas esta-ban cada vez peores, y contemplando a sus tres jóvenes hijos, aún adolescentes, Salvatore, Amato Nicola y Cesareo, se lamen-taba: "Ah, questi baron' f...!." Al mayor, Salvatore (nacido en 1841), lo hizo entrar al monasterio de los franciscanos, donde se moriría de frío, pero salvaría su alma y rezaría por la familia. Los otros dos lo ayudarían a lidiar con el pescado y con los pastores, los peones y algún mediero que todavía tenía en sus tierras.

Para colmo de males, las guerras que oponían a unos ita-lianos contra otros y contra los austríacos en el Norte, más allá de las tierras del Papa, se extendieron al sur, por obra de los ro-jos acaudillados por Giuseppe Garibaldi. Fue el terrible año se-senta, cuando cayeron los Borbones, y ya nadie se atrevía a mostrar sus credenciales de nobleza. Los leales resistieron algo, y en la misma Capracotta hubo intentos de impedir la toma de posesión por parte de las nuevas autoridades, a través de una movilización del pueblo bajo instigado por los curas, a la mejor usanza del Ancien Régime meridional. En este movimiento bor-bónico popular se distinguió Pasquale Sozio, de otra familia co-nocida del lugar, aunque su primo Agostino militaba entre los liberales. Pronto retornó la calma, aunque algunos se tuvieron que sacar el "di" para que no los acusaran de poco progresistas. Pero para el barón ya no volverían días de felicidad.

Salvatore, que era muy joven y recién había entrado al convento en un pueblo vecino, quedó sin destino, porque los garibaldinos disolvieron esas antiguallas del Ancien Régime. No tenía otra alternativa que conchavarse en el ejército, a limpiar los caballos, y sufrir las burlas de los más veteranos soldados. Ahí lo encontró un amigo de la familia, que, sorprendido de ver reducido a esa condición al hijo del barón, se lo informó al jefe del cuerpo, y éste enseguida lo colocó como cabo, con lo cual inició una carrera militar que le valió eventualmente llegar a "furier maggiore", tener alguna medalla, y conocer el mundo, o sea Milán.

Pasaron más de quince años, y a fines de los setenta el corazón del Barón no aguantó más, y dejó a sus hijos que se las arreglaran solos. Amato Nicola y Cesareo llamaron al para ellos brillante y mundano ex franciscano, que sacrificó entonces la carrera de las armas para dedicarse a cuidar sus intereses en el nativo terruño. Salvatore había mordido del árbol de la modernidad, y hasta se había peleado con algunos oficiales aristocráticos, que seguramente lo despreciarían por *terrone*, sin sospechar que él también pertenecía al *primo ceto*, aunque en sus escalones más bajos. Volvió, de todos modos, con ideas de revolucionar a su pueblito introduciendo una de las maravillas de la técnica, un molino harinero con máquinas modernas, que compitiera con los viejos de la zona, monopolizados aún por lo que quedaba de la nobleza.

Los últimos recursos fueron a esta aventura, y todo estaba listo, pero en el momento de la inauguración manos anónimas se habían encargado de hacer que nada funcionara. El Viejo Orden se vengaba del intruso, o al menos así lo cuenta la tradición familiar, por boca de una sobrina suya, Bianca. Es posible que además no hubieran calculado bien el *cash flow*. El hecho es que hubo que malvender todo, y sentir el oprobio de que otra de las familias importantes del lugar se quedara con el molino, y finalmente lo hiciera funcionar. Es lo que dice la historia oficial, condensada en un libro de edición local, que repite, claro está, la versión de los vencedores, según la cual "más éxito se tiene con un persistente esfuerzo que con un gran entusiasmo inicial". Era mejor irse, olvidar todo — o guardarlo para más adelante — y buscar fortuna en otros lados. En América, claro está, más específicamente en la Argentina, donde un primo, Carmine di Tella, ya estaba asentado como joyero y no le iba nada mal.

Los tres hermanos, entonces, tomaron el barco, corriendo el año 1894. Amato Nicola se había casado con una prima, Anna María di Tella, que a pesar de ser de Agnone era una muy buena mujer. Hasta era distinguida, por descender por parte de madre de los ilustres Zurlo, que habían contado entre sus números a Giuseppe, el progresista ministro que trató inútilmente de reformar a los Borbones para salvarlos de la revolución, a fines del siglo XVIII y comienzos del siguiente. Anna María le había dado a su marido cinco hijos. El mayor, Giuseppe, estaba estudiando agronomía en Florencia, y se quedaría, para completar su carrera, que lo llevaría a ser profesor, escribir varios libros, y merecer que su pueblo natal le diera su nombre a una plaza — detrás de la casa de la familia — y a un "Parco di Flora Appenninica". Después de Giuseppe venían tres hermanas, Adele, Laura y Bianca, aún chicas. El quinto, Torcuato, tenía dos años de edad.

En el nuevo continente los hermanos se instalaron, usando los fondos que lograron salvar del desastre. Cesareo, casado con su sobrina Filippa Sozio, se fue a San Luis, donde sus escasas liras consiguieron comprar algo de tierra, y ahí se radicó y formó familia.

Los otros dos, Amato Nicola y Salvatore, empecinados en repetir su experiencia molinera, encararon esta vez al tabaco, y establecieron una elaboración de cigarros en la ciudad de Buenos Aires. Eran años difíciles, y la América no se hacía tan fácil. Lejos de ello, a los pocos años hubo que cerrar el negocio y darse cuenta de que la Argentina, que pasaba por una etapa muy crítica de su historia, con crisis económicas y constantes intentonas revolucionarias de los radicales, no estaba hecha para ellos. Fue necesario pedir ayuda al consulado para que los repatriara, a todos menos a Adele, la mayor, recién casada e instalada en Lobería, porque allá en Italia al menos se tenía un techo seguro, con Giuseppe, ya recibido de ingeniero agrónomo, y que tenía un puesto en el Regio Vivaio de Bagnoli Irpino, al sudeste de Nápoles. Era el año 1902.

En Bagnoli, Amato Nicola consiguió que le alquilaran unas tierras cerca del pueblo. Se instaló allí con todos los "americanos", encabezados por Salvatore, guía espiritual de la familia, que no había formado una propia, pues, según chismearían más tarde sus sobrinos nietos, "jamás rompió ninguno de los tres votos que hizo al entrar al monasterio", lo que debe ser una exageración. En su nueva actividad vivían con modestia pero con tranquilidad, porque "la tierra no traiciona", como solía decir Torcuato ya adulto. Residían en una *masseria*, o sea una casa grande en medio del campo, de las que hay pocas en esa zona, donde la mayor parte de la gente tiene sus habitaciones en el pueblo. Torcuato completó allí su escuela primaria e inició la secundaria. Pero el destino siguió siendo hostil: Amato Nicola murió, en 1905, dejando a su viuda, Anna María, con las dos hijas adolescentes aún solteras y Torcuato, de trece años de edad, y a nadie para manejar la *masseria*, porque Salvatore no servía para eso. Afortunadamente, de la Argentina les escribían que vinieran, que el país era la esperanza del futuro, que todo se había arreglado, a pesar de la última revolución dirigida por Yrigoyen, de las huelgas y de las bombas de los anarquistas.

Vuelta, entonces, a tomar el barco. Pero antes de dejar Bagnoli, una foto, con algunos de los que se quedaban, permite reconstruir ese momento así: Anna María está vieja, algo asustada, en realidad aterrorizada. Atrás, Salvatore, con enormes bigotes, llevando sobre sí, a sus ya casi sesenta y cinco años, la responsabilidad de orientar a esa familia, y el peso de sus repetidos fracasos como fraile, como militar, como industrial innovador. Las chicas, alborozadas ante la perspectiva de sacarse la foto, y de volver a esa tan mentada y siempre recordada Buenos Aires. Torcuato, insólitamente, mientras todos miran a la cámara, está leyendo un libro, como quien no quiere perder el tiempo. Un chico que seguramente iba a tener problemas si seguía así, con esa mezcla de desplante y desconsideración hacia los demás, pero inteligente y muy responsable, y que absorbía como una esponja todo lo que se le decía. Era la gran esperanza de Salvatore, su posibilidad de rehabilitarse si lo educaba bien: porque eso sí lo sabía hacer.

Cuando llegaron al puerto de Buenos Aires se encontraron con el primo joyero, Carmine, que les evitó la ignominia de alojarse en el Hotel de Inmigrantes, que de hotel no tenía nada. Al poco tiempo, llegó Cesareo de San Luis, con toda la familia. De nuevo, una foto, en la estación de Retiro del Ferrocarril Pacífico. Son casi veinte personas, entre grandes y chicos, porque varios se colaron. Anna María sigue asustada, y tiene motivos para ello. Torcuato no está, porque no pierde tiempo en esas cosas. Los chicos "locales" muy contentos de encontrar tantos parientes para jugar. Las muchachas adolescentes, con caras más serias, porque no pueden olvidarse de todo lo que vieron en el barco.

¿Qué hacer, entonces? Lo ideal hubiera sido ir a la tierra, reproducir en América aquella *masseria* que habían dejado en Bagnoli. Pero las condiciones del país hacían ese sueño muy difícil, e irse a San Luis como el tío Cesareo no era convincente, porque ahí nunca llovía. Había que establecerse en la ciudad, pero ya sin capital para iniciar una empresa; había que esperar que el país realmente saliera adelante, y uno con él. Fueron a vivir a Caballito, a una casa de la calle Acoyte, de tierra en aquel entonces. El Centro quedaba lejos, y ahí sí se veían grandes transformaciones. El edificio del Congreso recién se estaba inaugurando, y la Avenida de Mayo era reciente; todavía no estaba terminado el Teatro Colón, pero había otros teatros líricos más baratos y accesibles donde escuchar alguna ópera mal cantada pero reminiscente de la patria. La nueva patria fue el barrio, ahí asentaron las raíces, ahí estaban las escuelas, los negocios atendidos por sus dueños, los cafés adonde los hombres iban a jugar a la baraja o a los dados.

CAPITULO II

AMBIENTANDOSE EN BUENOS AIRES

El trauma de la inmigración

A pesar de ser ya en ese entonces la Argentina uno de los países con más alto nivel de vida del mundo, debido a la abundancia de tierras fértiles, su estructura social era mucho menos igualitaria que la que existía en otras zonas de frontera como Australia, Nueva Zelanda, Canadá, o los mismos Estados Unidos.

La comparación con los Dominios Británicos es particularmente significativa. En ellos los inmigrantes no perdían la nacionalidad al llegar. Casi todos, en esa época, provenían de las Islas Británicas, cuyas instituciones adoptaban. Dentro de ese contexto, se formaron muy pronto partidos políticos según el modelo europeo. En Australia el Partido Laborista accedió al poder en la Federación en 1910, y antes en algunos de los estados miembros.

En la Argentina la adaptación al país por parte de la masa inmigrada fue mucho más traumática que lo que reflejan los recuerdos un poco mitificados de sus descendientes. La gran epopeya de la inmigración transoceánica ocasionó largos períodos de angustia y desorganización familiar. Muchas veces los que venían eran hombres solos, dejando atrás a sus parientes. Cuando se daban períodos de desocupación, la situación se ponía muy fea. Todo esto creaba un caldo de cultivo especial para la proliferación de fenómenos de protesta.

Las minorías activistas que llegaban con la masa inmigrada eran en general de orientación republicana de izquierda, socialista, o anarquista. Menos numerosos eran los católicos militantes, o los curas.

Los inmigrados se encontraban ante fuerzas que los tironeaban en sentidos opuestos, en cuanto a su participación en la política local. Por un lado, sus difíciles condiciones de vida los impelían a la protesta. Por el otro, al no ser ciudadanos, su involucración era necesariamente menor que si se hubiera tratado de una población nativa pero con similar grado de evolución educativa y cultural.

La barrera a la participación era menos decisiva en lo referente a la actividad sindical o de defensa profesional y comercial. Por cierto que leían la prensa escrita en sus propios idiomas, como forma de mantener el vínculo nacional y étnico. No sentían mucho respeto por los políticos "criollos", mientras que los no mucho más sofisticados dirigentes partidarios de sus países de origen adquirían, a la distancia, un prestigio particular.

En aquellos años de comienzos de siglo, cuando llegó por segunda vez al país la familia de Torcuato, la situación social era muy tensa. La revolución radical de 1905, en combinación con algunos sectores de oficiales de las Fuerzas Armadas, aunque fracasada, fue una señal de lo que podía venir. No sería imposible que si otro evento de ese tipo durara más, la gran cantidad de anarquistas que existían en el medio obrero se unieran a la rebelión, creando un frente difícil de controlar. Aunque las diferencias ideológicas entre anarquistas y radicales dificultaban esa convergencia, ella bien podría darse bajo condiciones de violencia generalizada. En algún sentido, lo que ocurrió en México, con su revolución iniciada en 1910, fue algo de ese tipo.

Ese mismo año de 1905, ante una importante protesta obrera organizada con motivo del Primero de Mayo, el embajador francés en Buenos Aires pensaba que el conflicto obrero-patronal "amenaza asumir formas tan violentas como en la mayor parte de los demás países". Al año siguiente, informaba al Quay d'Orsay que el socialismo "crece a pasos de gigante, y si en Capital Federal está a punto de imponer sus leyes, durante tres días ha sido dueño de Córdoba".

Lo que había ocurrido era que una huelga del Ferrocarril Central Norte había paralizado y aislado a la ciudad de Córdoba, mientras que las autoridades se cuidaban de reprimir excesivamente pues, según este observador algo alarmista, ello hubiera sido la señal para una "masacre general".[1]

El Primero de Mayo de 1909 la manifestación obrera que siempre se hacía para conmemorar el día se realizó en un ambiente caldeado. El resultado fueron una docena de muertos, debidos a la represión ordenada por el Jefe de Policía, Ramón Falcón. La venganza no se hizo esperar, y antes de que finalizara el año un joven inmigrante anarquista ruso, Simón Radowitzky, lanzó una bomba que ocasionó la muerte del enemigo de clase. La reacción oficial y paraoficial no fue menos decidida. Grupos de voluntarios, reclutados entre la juventud dorada porteña, deseosa de ejercitar sus músculos al amparo de la Policía, destruyeron las oficinas de La Vanguardia y La Protesta, y otros locales de organizaciones de izquierda, ocasionando numerosas víctimas.

La escalada no paraba: para el Centenario los anarquistas hacían estallar una bomba bajo el palco presidencial, en plena función de gala del Teatro Colón. Enseguida el Congreso pasó una ley, llamada de Defensa Social, para facilitar los procedimientos contra los militantes sospechosos de acciones violentas.

Reformismo conservador

Cuando Roca volvió a la presidencia (1898-1904) realizó un serio intento de distensión de los conflictos sociales, que encargó a su ministro del Interior, Joaquín V. González. La preocupación que se sentía en las altas esferas ante una posible revolución social, es difícil de concebir hoy, en que retrospectivamente se ve aquella época como tan próspera y optimista. Ya antes de llegar al gabinete, González había argumentado que "la instrucción gratuita y obligatoria es simplemente cuestión de defensa nacional". En otra ocasión afirmaba que a menudo la existencia de odiosas diferencias de fortuna hace estallar "una revolución en donde ningún estadista ha podido preverla".

Como primera medida, González propuso una reforma electoral, por la que se creaban distritos uninominales, pequeños, lo que permitiría a algunos partidos de oposición, con fuerzas concentradas geográficamente, acceder a la Cámara de Diputados sin desestabilizar el control político nacional. También proponía el voto secreto, pero eso no pasó. La aplicación de la ley, recién al finalizar la presidencia, en 1904, permitió a Alfredo Palacios, del Partido Socialista, llegar al parlamento por el muy italiano barrio de la Boca. No es que los italianos lo votaran — no poseían, en su inmensa mayoría, la ciudadanía — pero simpatizaban con él, y el ambiente en aquel centro obrero y naval era tan decididamente favorable a las nuevas ideas que también influía en las minorías con derecho a voto, incluso por cierto los hijos de inmigrantes.

El otro componente del proyecto reformista conservador fue el Código del Trabajo, en cuya redacción colaboraron varios dirigentes socialistas, entre ellos Enrique del Valle Iberlucea y José Ingenieros. Se trataba de promover la formación de sindicatos legales, a los que se les concederían ciertas ventajas, aislando de esa manera a los anarquistas. Pero de nuevo la mayoría parlamentaria se opuso, considerando que no había por qué regalar nada a los activistas obreros, por moderados que éstos fueran.

Como paso previo a la presentación del proyecto de Código del Trabajo, el gobierno de Roca encargó un estudio a Juan Bialet Massé, especialista español con un pasado juvenil socialista del que no se había arrepentido totalmente. Su voluminoso informe, con énfasis en el Interior del país, nos permite tener una impresión de primer agua sobre un amplio sector del proletariado de la época.

Bialet Massé estaba convencido de que si se planteaban condiciones de libre agremiación para la clase obrera, ésta evolucionaría hacia un "socialismo australiano", que consideraba perfectamente aceptable. Por cierto que habría resistencias entre los más ideologizados militantes, como señala recordando una conversación que tuvo en Rosario con uno de ellos, que rechazaba de frente la posibilidad de ser elegido diputado, pues en ese caso "los mil pesos al mes, el trato con aquellos señores y el lujo me corromperían, y los colgaría a mis compañeros".

En Tucumán, en el año 1904, había acontecido una seria huelga azucarera, la primera de proporciones en esa región, aun cuando la organización sindical era muy endeble. Bialet Massé concurrió a una asamblea obrera en la localidad azucarera de Cruz Alta, y quedó muy impresionado por el grado de conflicto que allí se evidenciaba. Su conclusión fue que "si los dueños de ingenios no acuerdan las mejoras que la razón y la justicia exigen, aun los obreros locales van a darles muchos dolores de cabeza, y les ocasionarán pérdidas diez veces mayores que el sacrificio, si lo es, de acordar mejoras".[2]

La familia, sindicato del inmigrante

La zona pampeana era otro mundo, especialmente en centros como Rosario y Buenos Aires. La expansión física de la ciudad era incontenible, y los recién llegados en general se alojaban, al menos al comienzo, en los superpoblados conventillos, donde la cocina propia era un lujo y la promiscuidad, una constante. Anna María y su familia, por irse a un barrio algo alejado del centro, evitaron caer en uno de esos lugares, pero era duro ganarse la vida. Torcuato, a pesar de sus escasos catorce años, fue a trabajar como cajero a una juguetería: iba a pie para ahorrarse los centavos del tranvía. Las hermanas, algo mayores, tenían que hacer costura, y tomaban a menudo trabajo de las grandes tiendas, que elaboraban en casa mientras su tío les leía trozos de Carducci y Leopardi para complementar su educación. Salvatore llevaba la contabilidad en la cochería de un amigo, y hacía algunas changas, pero jamás ganando mucho, porque ya era un viejo, para los criterios de la época. En el medio porteño, aún hostil y desconocido, la única solidaridad fuerte como una roca era la familia, a la que convirtieron en algo sagrado, lo único que absolutamente no se discutía: el verdadero sindicato del inmigrante.

Después de unos años Torcuato comenzó a llegar tarde a casa, produciendo consternación en su madre, que pensaba que el medio ya había arruinado a su joven retoño, como pasaba con tantos otros en este país. Pronto se supo el motivo: después de la juguetería iba a hacer trámites de aduana para la casa Dell'Acqua. Allí al final consiguió su primer buen empleo fijo, mientras seguía sus estudios secundarios, dando todos los exámenes como alumno libre en el Colegio Nacional Mariano Moreno, preparado por el "Tío Viejo", que le dividía los libros en cuadernillos para que los fuera estudiando cómodamente instalado en el tranvía, porque ahora ya podía darse ese lujo.

Fue entonces que le puso mayúscula a su di, "para que lo llamaran antes en los exámenes", como le gustaba recordar.

Con el tiempo, además, la q se le transformó en c, pero eso fue bastante después. Pronto se planteó entrar a la Universidad: tendría que ser ingeniero, no agrónomo como su hermano mayor, sino ingeniero mismo, para saber cómo funcionan las máquinas. También en aquel entonces estrechó una amistad con Alejandro Descalzo, despachante de aduana, porteño típico, algo aficionado a las carreras y muy ducho, luego, en entrar por los pasillos de la Municipalidad, donde trabajaría toda la vida y en la que le aceleraría los trámites a su amigo.

Teniendo Torcuato 18 años, a fines de 1910, se le presentó otra gran oportunidad: dos hermanos italianos, Alfredo y Guido Allegrucci, técnicos mecánicos, recientemente venidos del Brasil, tenían un modesto capital, y apreciando la vivacidad del muchacho, le ofrecieron asociarlo, prestándole los fondos requeridos, para fundar juntos un taller para hacer máquinas de amasar pan, aprovechando la reciente reglamentación que prohibía su laboreo manual. Era peligroso pero tentador, era un poco reintentar la aventura del molino de Capracotta, del que el tío no se cansaba de hablarle. Sus historias se hacían cada vez más detalladas; Salvatore encontraba oídos atentos y aún apasionados; agregaba episodios, embellecía lo cotidiano, poblaba la imaginación de sus sobrinos con duendes y endriagos, doncellas y caballeros. La menor de las tres hermanas, Bianca, que tardó en casarse, y luego nunca tuvo hijos, también escuchaba, no perdía palabra. Su admiración por ese Prometeo que en su imaginación había sido el molino, y las glorias militares del tío no reconocía límites, y pronto trasvasó esa veneración hacia su hermano.

La idea de los jóvenes empresarios era construir una máquina superior a las importadas. Torcuato había tenido la idea de que la batea donde se amasaba el pan, en vez de redonda, podía hacerse alargada, con las paletas montadas en un carrito que se fuera desplazando, dando tiempo a la masa a enfriarse, lo que facilitaba toda la operación y mejoraba la calidad. Alquilaron un local en Rioja 121 el 27 de diciembre de 1910, y comenzaron a fabricar una máquina que se patentó al año siguiente bajo la marca SIAM. El capital, por el momento, sólo ascendía a 10.000 pesos, de los cuales la mitad correspondía a los Allegrucci, y la otra mitad figuraba a nombre de Torcuato.

No está muy claro el significado de la sigla SIAM en aquella época. Una versión, recogida por Cochran y Reyna, afirma que era *Sección Industrial Amasadoras Mecánicas,* lo cual no es muy lógico pues no era sección de nada, salvo quizás de alguna gran empresa que sólo existía en la imaginación. Otra versión, más probable, transmitida por Alberto Di Tella, es que significaba *Sociedad Italiana de Amasadoras Mecánicas.* Esta interpretación, de ser cierta, seguramente fue reprimida por la memoria familiar, pues la excesiva italianidad que ella implica no le quedaba bien a una empresa nacional de primer plano.

Cuando en 1929 el taller, muy agrandado, tomó la forma de sociedad anónima, se llamó, con la misma sigla, *Sociedad Industrial Americana de Maquinarias.* Nótese que aún en ese entonces no era *Argentina* sino *Americana,* expresando el sueño de "hacer la América", o también premonición de un destino de multinacional a escala del continente.

La experiencia de estos inmigrantes repetía la que tantos otros estaban protagonizando en la construcción de los primeros elementos de la industria moderna en el país. En 1895 trabajaban en la rama industrial cuatro veces y media más extranjeros que argentinos, y en 1914 todavía la relación era de tres a uno. Tomando sólo a los empresarios, en 1895 en la Capital Federal el porcentaje de industriales de origen extranjero era superior al 90% y esas cifras se mantienen muy altas por décadas. En el primer censo industrial realizado en 1935, los empresarios de ese ramo eran en un 60% extranjeros en todo el país, siendo el 21% italianos.

La máquina de amasar de SIAM fue anunciada en la revista del gremio de los empresarios panaderos y bien pronto los resultados justificaron los cálculos. Gran parte del éxito se debía a la agresiva política de ventas de Di Tella, quien recorría el interior de la provincia de Buenos Aires en un auto recién comprado, y volvía lleno de encargos, produciendo crisis de nervios en los Allegrucci, que dudaban de poder cumplir con los plazos de entrega, lo que era grave, porque ya una primera cuota había sido cobrada a los panaderos. Sería necesario contratar más gente, comprar algunas máquinas más, a lo mejor endeudarse, porque además se les daba crédito a los compradores. Para no caerse había que seguir corriendo, y la Argentina daba amplias posibilidades para este tipo de apuesta.

En agosto de 1915, Alfredo Allegrucci se retiró de la firma, llevándose los casi 40.000 pesos que le correspondían, quedándose además con un pequeño crédito, y se radicó en Barcelona, con idea de hacer negocios, desde allá, de exportación e importación con Argentina, Uruguay y Brasil. Entre otras cosas, podría enviar amasadoras de fabricación española, pero no se excluía una gran cantidad de otros productos.

Llega una citación del Regno d'Italia

Para ese entonces (1915), a los cinco años de su iniciación, el taller había sido un gran éxito, dentro de las expectativas con que se lo había encarado, y permitía a sus dueños acariciar la idea de volver a su patria, lo que ya Alfredo estaba realizando a través de la etapa barcelonesa. Posiblemente, para él ésta era una forma de acercarse a Italia, país adonde no convenía ir porque en cualquier momento entraría en guerra, y entonces uno sería llamado a las armas, cosa de la que estaría protegido mientras permaneciera en el país catalán.

Para ese entonces la madre de Torcuato había muerto, y el símbolo de la familia era el viejo Salvatore, "Zizí", que ya pasados los setenta mantenía su perfecta lucidez, pero al mismo tiempo su incapacidad de ganar dinero. De eso se ocupaba su sobrino, que además ayudaba a las hermanas en su difícil asentamiento americano. La mayor, Adele, se había casado con Ercole Sozio, sastre del mismo pueblo de Capracotta, que había adoptado ideas avanzadas. Para disgusto de Salvatore, se ocupaba más del sindicato, de las huelgas, y de la secretaría del Centro Socialista de Lobería, adonde había ido a parar siguiendo a un grupo de coterráneos, que del bienestar de su mujer y sus hijos. Sufrió mucho por una larga huelga, y se vio obligado a dedicarse a otros trabajos, entre ellos el de carnicero. Contrajo una enfermedad, y murió joven, haciéndose cargo Torcuato de la familia, a la que trajo a Buenos Aires.

La segunda hermana, Laura, se casó con un primo, Juan Di Tella, nacido en la Argentina, hijo del joyero Carmine, que guardaba costumbres de la gente de su origen, y entre otras cosas cultivaba el ajedrez y la esgrima. Torcuato le facilitó fondos para que pusiera una zapatería, y años más tarde lo empleó como administrador de un mercado, instalado en lo que había sido su taller de la calle Córdoba esquina Jean Jaurès, aunque nunca tuvo mucho éxito económico. Bianca estaba todavía soltera.

Cuando un buen día del año 1915 vino una nota del Ejército Italiano, fue como una bomba. Había que ir y cumplir con el servicio militar, de lo contrario sería considerado desertor. ¿Pero cómo dejar a todos, que sin él malamente se las arreglarían para sobrevivir?

Seguramente Torcuato pensaba en aquella época, como tantos otros compatriotas, incluyendo sus dos socios los Allegrucci, retornar alguna vez a su país, habiendo hecho dinero, objetivo que ya estaba alcanzando. Los Allegrucci tenían unos cuantos años más que Torcuato, y eran ambos casados, por lo que no fueron convocados en un primer momento.

Era tentador quedarse en la Argentina, olvidarse de su país de origen, como tantos otros, quizás alegando valores internacionalistas o pacifistas. Pero eso era arriesgarse a no poder volver nunca más con la cabeza alta. Volver, quizás para comprarse un pedazo de tierra — de la "que no traiciona" — y recrear aquellos días de infancia de la masseria en Bagnoli Irpino. Por otra parte, todos decían que la guerra iba a ser muy corta, como la de 1870 entre Francia y Alemania. Como estudiante de Ingeniería que era, él pasaría unos meses de entrenamiento para recibir el grado de oficial, y a lo mejor al completar el curso ya estaría todo terminado. Desde Italia, además, podría encargarse del envío de máquinas amasadoras de ese origen a la Argentina, como estaba haciendo Alfredo Allegrucci desde Barcelona. Si todo iba bien, era la oportunidad para quedarse ya en Italia, armando una triangulación económica en que se podría combinar la importación con la construcción de máquinas, según las condiciones del mercado. Luego podrían venir aquellos miembros de su familia que quisieran acompañarlo.

Guido Allegrucci, de todos modos, que estaba decidido a no ir, pensaba que todo era una locura de su socio y amigo, demasiado acostumbrado a correr riesgos y salirse con la suya.

La decisión estaba tomada, sin embargo, y sólo quedaba ocuparse del Tío Viejo y de Bianca, problema serio porque Zizí tenía ya sus 74 años, y Bianca sufría del pulmón y necesitaba operarse. Igual, se los llevaría con él, una vez realizada la intervención médica, quizás después de la guerra. Esta última sugerencia se la hacía Guido Allegrucci en una carta de abril de 1916, que le mandó a Torino, donde Torcuato hacía su entrenamiento militar, instándolo a que "no insista más: Zizí sólo partirá después de que termine la guerra". Esto seguramente refleja un proyecto de Torcuato de quedarse en Italia al finalizar el conflicto, pues sólo bajo esa hipótesis se podía justificar hacerle hacer el viaje a su tío.

De hecho, tío y sobrina recién zarparon en agosto de 1917, para instalarse en Pausola, detrás del frente, en la casa de un coterráneo, Manlio Firmani. Si lo peor ocurría, siempre quedaba el hermano Giuseppe, ahora profesor en la Universidad de Firenze, y que por tener bastante más edad (era dieciséis años mayor), mujer e hijos, no era llamado al servicio de las armas.

María

En realidad, para hacer aún más compleja la decisión de partir, había otro problema más: María. Tenía 20 años, y tantas ilusiones como tristezas. Sus padres la habían dejado en Casale Monferrato, en Piemonte, cuando ella tenía tres años, con los abuelos, mientras se iban a hacer la América, él como relojero, ella como modista. La América no la hicieron, y recién pudieron hacer venir a su hija, con una tía, cuando ella tenía quince años. Al poco tiempo de llegar murió su padre, y menos mal que su madre era excelente modista, y que alguna remesa venía de los abuelos, sin contar los cajones llenos de los excelentes bizcochos del lugar — los "krumiri", con delicioso gusto anisado — y los salames colocados diagonalmente para que cupieran los más largos imaginables.

Pero María odiaba la costura, y una vez que completó la escuela secundaria consiguió emplearse en el Banco Italo-Belga. Por cierto que su madre la acompañó a la entrevista, para ver si el lugar era decente. Vivían en la calle Talcahuano 826, en una de las primeras casas de departamentos construidas en la ciudad de Buenos Aires, que aún está en pie.

Una violinista italiana, Alba Rosa, amiga de ambas familias, los presentó. Parece que Torcuato estaba algo enamorado de Alba, pero ella no le correspondía, y después de unos años emigró a los Estados Unidos, donde hizo carrera como compositora orquestal. Entre María y Torcuato el amor fue a primera vista, pero pasaron casi quince años más antes de que se casaran. Es que los noviazgos no eran tan apurados entonces como ahora, y además ocurrieron muchas cosas en el medio.

Al comienzo, la excusa para verse era que él le daba clases de inglés. Medio en serio, medio en broma, le escribía a veces cartas dirigidas a "Miss María", y luego jugaban al ajedrez, siempre con mucho cuidado de no despertar sospechas en la vigilante madre de María, la temible doña Virginia. Después de un año y medio de esto, vino la "declaración". La refleja Torcuato en una carta que le envió a María (seguramente a escondidas de la madre pero con la concomitancia de algunos parientes y amigos mutuos), y que es preciso transcribir en su idioma original: "Dio, Dio, che bel sogno! Sogno? No, no, é realtá; io ho inteso... no, le mie orecchie non hanno inteso nulla, ma io sentivo come se lei parlasse. Oh! le poche, frammentarie parole riuscite a dire fra mille interruzioni... Ma cosa possono dire le parole?" (4 de octubre de 1914).

Súbitamente, María demostró un sospechoso deseo de aprender el inglés más rápido. A doña Virginia se la podía convencer, al final la chica (sólo tenía 19 años) lo necesitaba en su trabajo en el Banco, como secretaria multilingüe. Luego vinieron las invitaciones (a tutta la famiglia, o sea a sus dos hermanitos y a la tía Ida, que había venido con ella desde Italia, más Bianca) a ir a remar al Tigre, o alguna "casualidad" largamente preparada para encontrarse en un teatro, no solos, por supuesto. Como no tenían teléfono, había que escribirse cartas, varias por semana, que son las que han quedado como testigos más que elocuentes.

Al mes, y habiendo pasado ya al tú, Torcuato hace un racconto, recordando lo que debe haber sido el primer vislumbre del enamoramiento, hacía ya un año, entre inglés y jaques:

"No tienes razón de llamarme desmemoriado; era justo un año menos un día de aquel día! El recuerdo es tan vivo que me parece ver en este momento la escena

con los mínimos detalles. Estábamos en el suelo como dos niños tratando de hacer caminar aquel andador que cada tanto se escapaba, y nosotros corriendo detrás de él y del bebito y por un momento nos encontramos sólos en el salón... Olvidarlo? Para eso debería olvidarme de que vivo, de que existo... Fue un instante, pero bastó ese sólo instante para unirme para siempre a tí."

El coup de foudre fue mutuo, y les duró a ambos por toda la vida, aunque hubo altibajos y dramas sociales y personales que hicieron postergar por tanto tiempo la decisión de casarse.

Al final Torcuato se fue a la guerra, a fines de 1915, dejando a su novia en lágrimas pero dispuesta a sacrificarse por la causa común, aunque se pensaba en sólo una separación de pocos meses, o al menos así se la definía para hacerla más tolerable. María le decía, en los días en que se estaba decidiendo su enrolamiento:

"La pasividad a que estamos obligadas nosotras las mujeres es realmente una gran injusticia. Si supieras cómo en estos días envidio a los hombres! Yo también había leído —y mi impresión no fue muy distinta de la que tú me describiste— el artículo en la Patria con ese decreto que contrariando (sconvolgendo) tus proyectos te alejaría varios meses antes. Y pienso con terror en cuando habrás partido. Imagínate la angustia de esos días, de esos meses, que pasarán con una lentitud terrible, pensando en los trabajos, en las incomodidades a las que te encaminas. Y ser impotentes, condenadas a esperar las inexactas noticias que nos dan los diarios, a seis mil millas de distancia. Ese pobre Colón, l'ha proprio fatta grossa, menos mal que no lo hizo adrede! Oh, nuestro sueño, Torcuato, cómo era tonto pensar que nos debería traer sólo alegrías, que pudiese realizarse tan fácilmente, sólo con amarnos tanto, que nos costaba tan poco. Pero, no importa, si 'los hijos de Italia son todos Balilla', las hijas sabrán ser dignas."

Ya desde el barco, Torcuato le escribía:

"He decidido no conmoverme a ningún costo. Pero cuando el barco se alejaba y veía dos brazos que se agitaban, que poco a poco se confundían con otros, con miles de otros, y después nada... en fin, te lo digo pero que nadie lo escuche, he llorado... Verdaderamente es una debilidad que no corresponde a un futuro guerrero, y que Cadorna me lo perdone! Casi me enojo contigo, haces que me conmueva demasiado, y pobre de mí si me conmuevo. Corro el riesgo, mañana que estaremos en Santos, de bajar y tomar otro barco para Buenos Aires! También estoy enojado contigo porque eres demasiado bella. Comparándolas contigo todas las mujeres me parecen feas, y te soy fiel a pesar mío.

---

[1]. Informes de la Embajada de Francia, del 22/5/1905 y del 26/12/1906, en Archivo del Ministerio de Relaciones Exteriores, Nueva Serie, vol. 2, ff. 44-47 y 54-57.

[2]. Juan Bialet Massé, *El estado de las clases obreras argentinas a comienzos de siglo*, 2a ed, Córdoba, 1968, pp. 439 y 507-508.

CAPITULO III

CARTAS DEL FRENTE

Un nuevo frente comercial

En Italia las cosas fueron simples al comienzo: volver a ver a su hermano Giuseppe, visitar a los parientes de María, seguir cursos en la Academia Militar de Torino. Al mismo tiempo, encargarse de establecer relaciones comerciales para crear una corriente de importación que complementara la producción local. Guido Allegrucci mandaba noticias de Buenos Aires, e instaba a acelerar el envío de amasadoras, hechas en Monza por la firma Hensemberg, que lentamente las iba terminando. La demanda era fuerte, pero imposible seguirlas produciendo en el país, por el altísimo costo de los insumos, debido a la guerra. En ese sentido, el conflicto internacional, en sus primeros momentos, estaba produciendo una paralización en muchas ramas industriales de la Argentina.

Allegrucci se desesperaba porque había vendido ya unas cuantas amasadoras, de las que tenían que producirse en Italia, pero no iba a poder cumplir con el plazo de entrega. Las que tenían que venir de España, enviadas por Alfredo, también se retrasaban, y cuando llegaron resultaron tener tantos defectos que hubo que rehacerlas. Desde Italia, tras continuas gestiones y esperas, al final las amasadoras de Monza llegaban, aunque en poca cantidad.

Recién hacia setiembre de ese año de 1916 se dan cuenta en Buenos Aires de que ya no vendrán más productos de Europa, y comienzan de nuevo la producción, a pesar de los precios, con algunos cambios para sustituir los componentes imposibles de conseguir.

Para ese entonces ya Torcuato había terminado su entrenamiento, y había sido transferido al frente, en Udine. Para Allegrucci esto demostraba lo imprudente que había sido la decisión de su socio de alistarse, implicando que su proyecto había sido el de quedar bien con poca plata.

Le escribe a Giuseppe, el hermano de Torcuato, lamentando esta mala suerte, y comunicándole además que está tratando de pagar parte de la hipoteca que pesa sobre la familia, por la nueva casa, siempre en Caballito, donde vivían Zizi, Bianca y Laura, con los hijos de ésta. Le comunica además la mala noticia de que dos tercios de la cosecha del país se han perdido por la sequía, de manera que las ventas no van a ser tan promisorias como parecían.

El frente bélico

El año 1917 el "turismo bélico" ya se había terminado, la guerra era en serio. Como experto en comunicaciones, en una compañía de telegrafistas, Torcuato llegó a teniente, de hecho ejerciendo el cargo de capitán, al frente de una compañía. Se ganó tres condecoraciones: la *Medaglia per Merito di Guerra*, la *Medaglia Internazionale* y el *Encomio Solenne*. En este último se lee: "El oficial Torcuato Di Tella, de la 45a Compañía de Comunicaciones, bajo un intenso fuego de artillería y fusilería, dirigió el tendido de las líneas telefónicas Sdraussina Nordloguen, el día 17 de setiembre. Marchó a la zona de combate varias veces a fin de reparar las líneas telefónicas, sin orden de hacerlo. 27 de noviembre de 1916."

Le tocó presenciar la muerte de su mejor amigo, y la retirada después de Caporetto, en medio de la lluvia y el barro, con dientes de ajo en los bolsillos para que no entraran los piojos. Prácticamente tuvieron que empujar al único camión que le quedaba a su compañía, con armas y pertrechos, las ruedas rellenadas con paja a falta de aire, y la angustia de pensar cómo estarían el Tío Viejo y Bianca, que esperaban noticias allá en Pausola.

Es que si hay algo peor que un barco de inmigrantes es un ejército en derrota, como siempre lo recordaría en sus años maduros. Más de una vez debe de haber pensado "Ma chi me l'ha fatta fá...", dando razón a la mayoría de sus amigos que pensaban que había estado completamente loco al correr al llamado de la patria, o al pensar que la guerra sería corta. Alfredo Allegrucci, que al intensificarse la presión reclutadora también fue convocado, tiró la carta a la basura, haciendo decir a su filosófico hermano Guido que ahora la empresa ya contaba con "un voluntario y un desertor", pero que lo que él quería era que alguien lo ayudara en el taller, y por el resto dejaba que "ognuno s'impicchi a suo gusto".

Promediando el año 1917, Guido Allegrucci está contento de la forma en que avanza la producción local de amasadoras, pero le preocupa la perspectiva de que algunas le queden de clavo si de golpe termina la guerra.

Hacia fines de año, cuando ya han partido a Italia Zizí y Bianca, Allegrucci comienza a gestionar una licencia para Torcuato, pues se necesita su presencia en Buenos Aires para ayudar a resolver problemas de la empresa, y porque el apoderado ha renunciado a su gestión. En realidad, según le anuncia a su hermano Alfredo, el verdadero objetivo es alejarlo a su socio por el mayor tiempo posible del frente.

En licencia

A fines de marzo de 1918 Torcuato llega a Buenos Aires, donde encuentra las cosas bastante mal, pero sólo puede quedarse por unos pocos meses, hasta fines de julio. De todos modos, en la Facultad de Ingeniería sus amigos, especialmente José Gilli, le hicieron un recibimiento de héroe. Ya antes, celebrando su promoción por méritos de guerra, habían publicado un artículo sobre el "Teniente del Genio Torcuato Di Tella" en la revista del Centro, redactado por José Gilli, un romántico desatado que veía la otra cara de la moneda que Allegrucci leía en su anverso, y para quien su amigo renovaba "la estirpe de aquellos héroes que disputaron a Roma la libertad como su gloria más excelsa; ante sus aras lo inmola todo, en holocausto supremo: la vida y lo que la hace amable".

Al par de meses retornó al frente, donde le quedaba todavía la parte más pesada del conflicto. Guido Allegrucci, desde Buenos Aires, lo instaba repetidamente a hacerse cargo de sus intereses, y a ayudarlo a encarar los numerosos problemas que se acumulaban. Le contaba que las huelgas se sucedían unas a otras, incluso una muy seria en el puerto, que había retrasado la correspondencia. Los propios obreros del taller se habían unido en una "sociedad de resistencia", pidiendo condiciones inadmisibles, con lo que entraron en huelga desde inicios de febrero de 1919 (poco después de la Semana Trágica), y al no serles concedidas sus demandas, lanzaron un boicot contra la empresa. Allegrucci pensaba solucionar esto mandando trabajos a hacer a otras casas, pero mientras tanto había que aguantar todo tipo de insultos y faltas de respeto de los obreros.

Finalmente, terminada la guerra, Torcuato quedó libre en febrero de 1919, y en mayo regresó a la Argentina, dejando atrás a su tío y hermana, que se le reunieron en setiembre. Es extraño este defasaje en el viaje, y nada imposible que aún pensara en volver si arreglaba todo en Buenos Aires, lo que incluiría la liquidación de la sociedad, que de todos modos debía terminar en ese año, según su estatuto.

Problemas de protocolo

Pero lo más importante, ahora, era formalizar con María. Durante la guerra, estrictamente hablando, no le había sido del todo fiel. No se trataba sólo de algún inevitable amorío de soldado, sino de una relación más fuerte con una chica italiana de origen judío, con la cual en algún momento estuvo a punto de casarse, según contaría luego a un amigo, agregando, como para disminuir la gravedad del hecho, que "los judíos en Italia están muy integrados". Aunque el nombre de este *paramour* no ha sido recogido por la historia, es muy probable que ella haya sido, si no más linda que María — eso hubiera sido muy difícil — más intelectual o más ganada por las nuevas ideas. Por otra parte, la posibilidad de casarse con ella, si es que fue real, debe haber venido más tarde, después de recibir calabazas de su novia porteña, cosa que ocurrió como ahora veremos.

Al volver de la guerra, Torcuato venía con la firme decisión de recibirse antes de casarse, y eso implicaba tres años más. ¿Una segunda demora? No segunda, primera y única, la guerra no había sido un mero problema personal suyo, argüía. Pero doña Virginia no veía las cosas de la misma manera.

Ya había habido un poco de tirantez durante los meses de licencia a comienzos de 1918. En ese entonces, apenas llegado, Torcuato recibió "una carta terrible de la Mamina", instándolo a formalizar. Le comunicó la novedad a María, diciéndole que "mañana a la tarde iré pero te recomiendo no dejarme solo...". La escena debe haber sido tempestuosa, y agrió las relaciones entre los novios, pues María estaba bajo mucha presión. Seguramente tendría algún otro pretendiente — o más de uno, aunque no correspondidos — y su madre no desearía que éstos se alejaran ante la intrusión del héroe que, a diferencia de ellos, pensaba poder disponer de todo el tiempo libre de la joven.

Torcuato, en una larga carta irónica aunque algo resentida, le decía a su novia que mientras esperaba el día que "el *protocolo* fija para las visitas" había consultado a un amigo que había estado de novio (con protocolo) cuatro veces. Le había dicho que era conveniente en esos casos aparecer con bastón, no preocuparse por la realidad sino por las apariencias, y hablar poco, pero sobre todo suspirar mucho. Como se decía de él que era egoísta y ambicioso, se defendía afirmando que le gustaba hacer el bien sin que los demás lo sintieran, por el placer de hacerlo, pero que entonces los otros pensaban que él quedaba en deuda con ellos, por el favor que le habían hecho al darle la oportunidad de experimentar ese placer. Por otra parte, como no hablaba de sus trabajos en la guerra, e incluso los tomaba a broma, al final todos creían que había sido simplemente un soldado de opereta. De ahora en adelante, realmente, se iba a guiar por el protocolo, y llevar a menudo cajas de bombones.

La cosa se puso mucho más seria al volver definitivamente en 1919. Su insistencia en primero terminar la carrera era vista como absurda, porque él ya tenía un buen pasar como empresario. También a María le era difícil entenderlo, y a veces lo tomaba como muestra de falta de cariño. Ella estaba dispuesta a cualquier sacrificio, con tal de que lo compartieran. El pensaba, seguramente, que como hombre casado, con más responsabilidades, incluyendo hijos, no podría anteponer a su nombre el título de ingeniero, lo que le dificultaría su carrera en caso de que la empresa terminara mal, posibilidad bastante real en aquellos días de crisis de readaptación de la economía a la posguerra. Tanto es así que en 1921 tuvo que vender su casa de la calle Acoyte e ir por un tiempo a un departamento alquilado en el centro, aunque pronto la prosperidad volvió y la familia compró una casa en la calle Otamendi.

Hubo una escena pavorosa el 1 de julio de 1919, registrada en una carta que Torcuato le envió a María:

> *Después de una escena tan 'decisiva' como la del primero de julio no está por cierto previsto en ningún protocolo escribir una carta, y menos aún dirigida como lo hago (Cara María) Yo nunca, nunca, nunca, había pensado ni lejanamente en la posibilidad de que nosotros no fuéramos un día el uno del otro, yo nunca, nunca, nunca, había pensado en ese coeficiente aleatorio que la prudencia nos enseña a tener en cuenta en un noviazgo. Tan es así que cuando tú me hablaste, el año pasado, de esa posibilidad, yo caí, como se dice, de las nubes. Tú has hecho un silogismo, razonamiento perfecto, con sus tres partes: 'Tú debes elegir entre la carrera y mi amor (1o.); tú has elegido la carrera (2o.); por lo tanto mi amor no te interesa (conclusión).' Pero ten en cuenta que si la primera parte está errada el silogismo se transforma en sofisma. De todos modos, agregas: 'antepones la carrera a mi amor y dejas a éste por último'. No siempre las cosas que se hacen primero son las más importantes. Una cúpula por ejemplo es la parte más importante de un edificio, pero ni siquiera a Miguel Ángel, que algo entendía, se le hubiera ocurrido comenzar a construir San Pedro por la cúpula.*

En éstas y otras ocasiones en que Torcuato se elevaba a sus máximos niveles de elocuencia se notaba la influencia estilística de Salvatore, el Tío Viejo, alimentada con los clásicos del Risorgimento y envíos periódicos de *Cronache Romane*, que él cuidadosamente encuadernaba. La crisis no pudo evitarse, aunque Torcuato, en otra carta, le decía: *"Fin! Ten en cuenta, María, que esta terrible palabra eres tú quien la escribe, sobre esto no tolero equívocos. Yo no la he escrito — yo no la escribo — para mí no está escrita." (9 de julio de 1919)*

Y en una última misiva que ha quedado preservada, tercamente manteniendo su decisión de recibirse antes de contraer matrimonio, Torcuato toma la sugestión de su novia de esperar, quedando libres entretanto. Pero le asegura que *tú has escrito la palabra fin y yo te he respondido que yo no la he escrito, que para mí no estaba escrita, pero sólo para mí. Tú eres libre, completamente libre, sin que yo exija para mí la recíproca. Cuando a las palabras yo pueda agregar los hechos volveré a la luz, y si de tu libertad no habrás hecho mejor uso, serás libre de ponerme en libertad".*

Esta es la última de las cartas, religiosamente guardadas por María como recuerdo de un amor imposible, incluyendo no sólo las que había recibido de su novio sino las que le había enviado a éste, y que obviamente le debe haber pedido le devolviera al romper el noviazgo. La vida aún les ofrecería a ambos muchos recodos inesperados, y varios años luego se volverían a encontrar, aunque entonces hubo otros impedimentos. Pero ya volveremos a esa historia.

El clima de ideas en la Argentina de comienzos de siglo

El ambiente intelectual en que se formó Torcuato, como tantos otros inmigrantes, era una combinación del que bebían de las fuentes ultramarinas, con el que existía en el país, aunque éste, claro está, también se abrevaba del otro lado del océano.

Una base muy difundida de los análisis sociales de la época — casi un segundo sentido común — era el evolucionismo, extrapolado de la biología a la sociología por el teórico inglés Herbert Spencer. Ya en una generación anterior, Alberdi había sentido la fascinación del "poder despótico de la evolución, que nos hace y forma sin nuestra intervención, y que nosotros creemos hacer y gobernar a nuestra voluntad".[1]

En su polémica con Sarmiento, Alberdi había argumentado que lo que se necesitaba en el país no era tanto la educación cuanto el desarrollo económico, y para que éste tuviera quien lo dirigiera, se precisaba acelerar la inmigración, trayéndola, si posible, de los lugares industrialmente más adelantados de Europa. La interacción que estos inmigrantes crearían, en las grandes ciudades comerciales, constituiría una especie de escuela, para formar a la población nativa, mejor que "nuestras pretensiosas universidades".

Este enfoque era a menudo reproducido en publicaciones de izquierda, de las más diversas orientaciones. Según Spencer la humanidad pasaría, de manera prácticamente inevitable, de una etapa "militar" a otra "industrial". Este esquema parecía aplicarse a la perfección a la Argentina, y se le podía agregar, dentro de la etapa "industrial", un futuro estadio caracterizado por el predominio de la clase obrera y la propiedad pública. El mismo Spencer había entrevisto esta posibilidad, aunque se sentía alarmado ante ella, y más bien pensaba que si esa etapa socialista se daba, implicaría un retroceso hacia el sistema militar.

Para los socialdemócratas se daba una combinación entre la teoría marxista, que también a su manera planteaba una evolución unidireccional — al menos en sus versiones más difundidas — y la nueva fundamentación más "científica" del evolucionismo positivista. Bernstein en Alemania, Sidney y Beatrice Webb en Gran Bretaña, eran los principales teóricos de esta posición, a comienzos de siglo. Entre nosotros José Ingenieros sostenía que

> la evolución humana es una continua variación de la especie, bajo la influencia del medio en que vive. Por ser una especie viviente, está sometida a leyes biológicas; por ser capaz de vivir en agregados sociales, se subordina a leyes sociológicas, que dependen de aquéllas; por ser apta para transformar y utilizar las energías naturales existentes en el medio, evoluciona según leyes económicas, especializadas dentro de las precedentes.

> Los diversos grupos sociales necesitan adaptarse a su medio y están sometidos al principio biológico de la lucha por la vida, lo mismo que los grupos de otras especies gregarias.[2]

Los intelectuales influidos por esta línea de pensamiento preferían dejar de lado la prédica moral, y asentar sus planteos en tendencias que por cierto sobrepasaban la voluntad, buena o mala, de los individuos. Había que adaptarse a esas fuerzas, para no quedar tirado a un costado en el proceso histórico, nueva deidad a la que había que sacrificar otras consideraciones.

Esta actitud, un tanto amoralista, estaba bien calculada para "épater le bourgeois", aun cuando fuera expresada por pensadores liberales que no deseaban para nada asustar a la burguesía, aunque sí al clero. Mucho más irritante era ese planteo si los que lo propugnaban tenían orientaciones socialistas, lo cual cundía en ambientes de artistas y bohemios de toda laya. Florencio Sánchez, que se debatía entre la miseria de oficios marginales y los pocos pesos que podía ganar escribiendo obras de teatro, ilustra a este grupo humano, al igual que Alberto Ghiraldo, que publicaba la prestigiada pero no por eso menos anarquista *Ideas y Figuras*.

La convicción de que el país estaba embarcado en una poderosa locomotora histórica iba junto a actitudes un tanto nacionalistas y racistas, que permitían a sus habitantes sentirse los futuros yanquis del Sur, superiores al resto del continente. El mismo Ingenieros pensaba que el destino manifiesto de la Argentina estaba basado en el hecho de tener más y mejor tierra que Chile, y más raza blanca que Brasil, nuestro otro posible competidor por la hegemonía.

Años más tarde estas doctrinas serían recogidas por pensadores nacionalistas, con o sin el respaldo de la fundamentación evolucionista, entre ellos Leopoldo Lugones, que comenzó su vida literaria como anarquista.

Juan Alvarez, el conocido autor del *Estudio sobre las guerras civiles argentinas* (1914), incorporaba hacia ese entonces el análisis socioeconómico — sin tener nada que ver con el marxismo o las variantes de socialismo — al negar que la mera existencia de "masas ignorantes" explicara la génesis de los caudillos. Lo que se necesitaba era ver qué motivaciones económicas podían tener esas masas para seguir el liderazgo de jefes primitivos, pero que de alguna manera les ofrecían protección para su modo de vida.

Alvarez, conservador abierto a las novedades, como Roque Sáenz Peña, estaba como él muy preocupado por las conmociones sociales que seguramente se darían si no se implementaban sin pérdida de tiempo ciertas reformas esenciales. La huelga de arrendatarios italianos de la zona maicera del Sur de Santa Fe y Norte de Buenos Aires, conocida como *Grito de Alcorta*, fue vista por él como "movimiento esporádico, anunciador de mayores trastornos en el futuro". El movimiento, acompañado de escenas de violencia, paralizó a una amplia zona en 1912, y dio origen a la Federación Agraria Argentina, con posiciones muy radicalizadas en un inicio. Pensaba Alvarez que para evitar que en un futuro los arrendatarios, expulsados de sus posesiones, vinieran sobre Buenos Aires cual nuevas montoneras, había que asegurarles el acceso a la propiedad.

El radicalismo en el poder: la versión de los nuevos tiempos en la Argentina

A pesar de la gran cantidad de militantes que tenían en la Capital y otras grandes ciudades los varios sectores de izquierda, la verdadera fuerza nueva popular era el radicalismo. Bajo la dirección de Hipólito Yrigoyen, se orientaba decididamente hacia un acceso violento al poder, mediante una revolución armada, con apoyo militar si se lo conseguía, o sin él. Cuando en 1910 el fraude operó otra vez, llevando a la presidencia a Roque Sáenz Peña, se volvió a organizar el permanente complot de la UCR. Para paliar esa posibilidad, el presidente electo se reunió con Yrigoyen, prometiéndole que lo primero que haría en el gobierno sería sancionar la ley de voto secreto, con padrones tomados de las listas de enrolamiento militar. Al mismo tiempo, le ofrecía participar en el gabinete. A esto último el líder radical se negó, pero quedó planteado el contacto.

Las primeras elecciones realizadas bajo el nuevo sistema dieron resultados balanceados. Las derrotas del oficialismo en la Capital (donde pronto hubo mayorías socialistas) se compensaban por victorias en Córdoba y en la Provincia de Buenos Aires. En esta última, Marcelino Ugarte dirigía una aceitada máquina electoral fraudulenta, pero cimentada con una nada despreciable clientela electoral obtenida a través del intercambio de favores, una copia de la "machine politics" de los Estados Unidos. Esa máquina fue rápida en darse cuenta de las trampas que aún podían hacerse en el recuento de los votos, o en verificar por quién había sufragado un fulano a quien se le había comprado el voto, pero sólo se le abonaría el valor pactado contra constancia de haber cumplido, obtenible si había algún amigo entre las autoridades del comicio. Sólo el tiempo pudo poner coto a estas prácticas.

En 1913 la elección de senador en la Capital dio la victoria al socialista Enrique del Valle Iberlucea, nacido en España, y que había hecho algunas declaraciones poco entusiastas respecto a la bandera argentina, o la de cualquier otra nacionalidad. En el Senado hubo un intento de oponerse a su aceptación, dirigido por el radical José Camilo Crotto, él mismo hijo de inmigrantes. La impugnación no surtió efecto, y no contribuyó mucho a establecer buenas relaciones entre la UCR y los extranjeros.

Roque Sáenz Peña estaba preocupado, más que por la fuerza de los opositores, por la apatía de lo que consideraba el electorado natural conservador, formado por la gente decente, y los peones y otros habitantes pobres del campo, que seguramente seguirían las indicaciones de sus superiores naturales. Así hacían, por lo menos, los campesinos ingleses y franceses, por no hablar de los italianos y españoles. ¿Porqué no en la Argentina?

De hecho, la situación era bastante distinta entre nosotros, porque no había muchos habitantes rurales que estrictamente pudieran llamarse campesinos. Los había, sí, en el Noroeste, pero en el resto del país se daba una combinación de peones poco arraigados a la tierra, y de chacareros — en general arrendatarios — que tenían sus propias ideas acerca de la superioridad social.

Al final, cuando se dio la elección de 1916, el oficialismo se presentó dividido en dos fuerzas. Una era claramente tradicionalista, el Partido Conservador, algo retrógrado, dirigido por Marcelino Ugarte en su feudo bonaerense. La otra era la creada por Lisandro de la Torre, antiguo radical que se había alejado del partido por disidencias con Yrigoyen, y que había sido cooptado como sucesor del fallecido Roque Sáenz Peña, y que había formado un Partido Demócrata Progresista.

Yrigoyen ganó por poca diferencia, pero sin tener una mayoría absoluta en el electorado, ni en los Colegios Electorales.

Para ganarle, sin embargo, había que armar una improbable coalición de todo el mundo, incluyendo a los radicales disidentes santafesinos y los socialistas porteños. Entre los socialistas la animosidad contra Yrigoyen era suficientemente fuerte como para tentarlos, y lo mismo ocurría con los disidentes de Santa Fe, muchos de los cuales luego se orientarían hacia el Antipersonalismo durante los años veinte. Pero votar en contra de Yrigoyen en ese momento, cuando aún éste no había tenido oportunidad de mostrar su capacidad en el gobierno, hubiera sido una excesiva traición al movimiento. Cuando decidieron su voto, se acabaron las especulaciones, pero empezó la sorda resistencia contra este intento de gobierno popular.

(1) Juan B. Alberdi, *La República Argentina consolidada en 1880 con la ciudad de Buenos Aires por Capital*, Buenos Aires, 1881, p. xiii.

(2) José Ingenieros, "De la sociología como ciencia natural", artículo publicado en 1908 e incluido en su *Sociología argentina*, reedición, Buenos Aires, sin fecha, pp. 18-19.

CAPITULO IV

LOS AÑOS VEINTE

Las ideas de Yrigoyen y el rol del caudillismo

Yrigoyen venía al poder decidido a promover algunas grandes ideas-fuerza, entre ellas la preservación de la tierra pública, aún muy extensa en los Territorios Nacionales, para evitar su despilfarro, como había ocurrido en la zona pampeana. Igual importancia le daba a defender la "segunda gran riqueza", el petróleo, "poniendo en manos del Estado el dominio efectivo de los yacimientos petrolíferos y confiriéndole el monopolio de su explotación y comercialización".

Se proponía además promover el desarrollo económico, completando la construcción de la red ferroviaria, incluyendo conexiones en el Noroeste con las líneas chilenas, para dar salida al Pacífico a toda aquella zona del país. Todo esto exigiría que el Estado adquiriera un rol importante en la actividad productiva.[1]

El radicalismo, en aquella época, tenía un liderazgo muy personalista. Según Joaquín Castellanos, uno de los primeros teóricos de la UCR, en la etapa que la Argentina vivía el caudillismo era una necesidad. Planteaba que los problemas políticos del país se debían a la falta, y no a la existencia, de caudillos, que "aún se hacen necesarios para la organización y la dirección de las fuerzas populares".[2] Al mismo Roca lo criticaba porque, según pensaba Castellanos, el Zorro "no conocía un comité", a diferencia de Mitre o Alsina en la generación anterior. La posición teórica no podía ser más alejada de la de Juan B. Justo, que condenaba la "política criolla", simbolizada por el Comité y el rol del caudillo.

El socialismo en la Argentina y el impacto de la Revolución Rusa

En el Partido Socialista se nucleó, en un comienzo, un importante grupo de intelectuales, como José Ingenieros, Roberto Payró, Leopoldo Lugones y Enrique del Valle Iberlucea, que habían formado un Centro Socialista de Estudios, con la participación de Juan B. Justo, paralelamente a la creación del partido. Pero esta posible Sociedad Fabiana fracasó en su rol, pues no encajaba en el modelo más germano que británico que seguía el partido. Pronto varios de estos partícipes se alejaron, incluso otro que en aquella época temprana se había acercado, Manuel Ugarte, orientado hacia un latinoamericanismo poco apreciado en el partido o en los gremios, desconfiados de un influjo masivo de mano de obra barata de países vecinos.

De todos modos, al acercarse el tiempo de la Primera Guerra Mundial las ideas reformistas se iban imponiendo en muchas partes del mundo, aunque tuvieron un serio retroceso con el estallido del conflicto, y con la Revolución Rusa. En la Argentina la adaptación era más lenta. Todavía en 1915 un anarquista "organizador", o sea opuesto a la estrategia del terrorismo y la acción individual, Juan Pallas, lamentaba que entre nosotros todavía conseguían éxito los que se dirigían más "a los sentimientos que a la razón", y que hablaban de revolución social inminente, lo que "en Europa entró ya en su ocaso, pero que se halla aún aquí en su hora propicia".

La Revolución Rusa abrió en todos lados del mundo expectativas de proliferación del fenómeno. De hecho, intentos semejantes hubo en Alemania, donde se dio una casi exitosa sublevación, en Hungría, donde por unos meses se mantuvo en el poder un régimen comunista, y en Italia, donde la agitación incluyó tomas masivas de fábricas después de terminada la guerra. Estos episodios ocurrían cuando todavía Torcuato estaba en Italia, pues recién fue dado de alta en febrero de 1919, y partió de regreso en mayo.

En el ambiente de veteranos de guerra era muy común la simpatía hacia Mussolini, que combinaba sus antecedentes socialistas, que le permitían condenar al sistema imperante, con una actitud de rechazo a la indisciplina de fábrica que a juicio de muchos sólo podía debilitar la recuperación nacional. Torcuato, sin embargo, en ningún momento sintió atracción hacia el nuevo movimiento, aunque no simpatizó para nada con el bolcheviquismo, como trasunta en alguna correspondencia suya de la época. En la Argentina un sector escindido del viejo tronco formó el Partido Socialista Internacional, que en 1920 adoptó el nombre Comunista, consiguiendo algún apoyo de sectores intelectuales y sindicales, pero poco influjo electoral.

Las tensiones sociales, que hacía tiempo se venían acumulando, estallaron a comienzos de 1919, con motivo de una huelga iniciada en la fábrica metalúrgica de Pietro Vasena, donde trabajaban unos 2.500 obreros. Los huelguistas, al oponerse a la descarga de algunos carros, ocasionaron una respuesta de la policía, con la muerte de cuatro personas.

Al día siguiente, con motivo del entierro de las víctimas, hubo nuevos encuentros con la policía, que se generalizaron por toda la Capital. Los anarquistas convocaron a una huelga, que duró varios días, y que luego fue canalizada por los más moderados dirigentes (Sindicalistas Revolucionarios y del Partido Socialista) que actuaban en la "FORA del IX Congreso".

Ante la gravedad de la situación, intervino el ejército, mientras grupos armados de civiles de derecha colaboraban en la represión, persiguiendo a todo grupo sospechoso de bolcheviquismo, incluida la numerosa colectividad judía, a la que a propósito se la ligaba con la revolución "rusa". En esa oportunidad Manuel Carlés, que pertenecía a la derecha del radicalismo, organizó la Liga Patriótica Argentina, dedicada a reproducir las tácticas de acción directa de los anarquistas.

Finalmente, quedaron 700 muertos y numerosos heridos como saldo de la conmoción. Los problemas específicos por los que la huelga se había iniciado fueron resueltos por obra del Presidente, que decidió en lo básico a favor de los obreros.

Esta era la situación social y política del país cuando Torcuato llegó a Buenos Aires, en mayo de 1919. Los obreros del taller aún seguían en huelga, por una parcialización del original conflicto metalúrgico. Al poco tiempo de su arribo le escribió a

Alfredo Allegrucci anunciándole que las cosas estaban peor que lo que él pensaba, *"sumándose desde hace cuatro meses huelgas sobre huelgas, con contornos de bolcheviquismo et similia. El taller está cerrado desde hace cuatro meses y como si esto no bastara nos han decretado el boycott que no sé cuándo terminará"*, a lo que se sumaba a nivel macroeconómico la entera cosecha del año sin vender. El conflicto portuario era tan serio que parecía que ya los barcos de los principales países no harían más escala en Buenos Aires, reemplazándola por Montevideo.

Una de las cosas que había que arreglar era la relación con Alfredo Allegrucci, que se estaba poniendo tensa, por las continuas demandas de fondos de éste, y sus planes de aumentar los negocios con España, que no habían tenido éxito en el pasado por la mala calidad de las máquinas. Al final, Di Tella decidió que se disolvería la sociedad, como estaba previsto en su estatuto (aunque se la podía por cierto renovar), con lo cual seguramente deseaba sacarse de encima la relación con el antiguo socio, que ahora residía permanentemente en Barcelona. La reacción fue muy fuerte, ya que Alfredo interpretó el acto como una "puñalada", lo que provocó una respuesta también airada pero contenida de Di Tella, en que al final se comprometía a enviarle, para que se instalara en el comercio, las 10.000 pesetas que pedía, aunque como préstamo, sin interés, agregaba. A pesar de este conflicto, la relación entre los dos socios que quedaban en Buenos Aires se mantuvo incólume.

El taller se agranda: de las amasadoras a los surtidores de nafta

Al término de la Primera Guerra Mundial, la Argentina entraba en la era del automóvil, llegando a tener un parque automotor tan elevado, en términos de unidades por habitante, como el norteamericano, lo que significaba una gran demanda potencial de surtidores de nafta y otros equipos para las estaciones de servicio, por lo que Di Tella y Allegrucci empezaron a experimentar en la producción de surtidores basados en modelos extranjeros.

En 1923 SIAM llegó a un acuerdo para explotar las licencias de la firma Wayne Pump Company, de los EEUU. Nombrada agente de esa firma, comenzó a fabricar y armar partes de surtidores. La vinculación con Wayne duraría hasta 1927. El incremento de la actividad económica de la firma llevó a ampliar las instalaciones. Gracias a un crédito bancario la empresa pudo tomar medidas para instalar su propia fundición, que aceptaba pedidos de terceros, cuando los requerimientos de SIAM no alcanzaban para ocupar plenamente su capacidad.

Di Tella había conseguido una concesión de la Municipalidad para instalar surtidores de nafta en la vía pública, otorgada a él personalmente, no a la empresa. Sólo había otra concesión semejante, base de una red en que se vendía nafta de la Standard Oil. Di Tella ofreció su permiso a la Shell, y en base a ello llegó a tener una treintena de surtidores, construidos en parte en su taller y en parte importados. Este ramo fue uno de los principales que permitieron a la SIAM entrar al mundo de los grandes negocios, incluyendo viajes de Di Tella a Inglaterra.

Había que competir, para la provisión de surtidores a la Shell, con otros proveedores europeos, especialmente de la marca SATAM, cuyo propietario, Borotra, era un jugador de tennis mundialmente famoso, que mezclaba exitosamente el deporte con los negocios y algún amorío. Di Tella instaló en Londres una pequeña oficina, dirigida por Michael Guermont, casado con una hermana de Clutterbuck. Se llegaron a tejer proyectos algo desproporcionados, como construir en Inglaterra surtidores con la marca SIAM — incorporando algunas mejoras técnicas — para vender en Europa. Más éxito tuvo, por un tiempo, la construcción en ese país de elevadores neumáticos de autos, con una modificación que permitía mejorar la estabilidad del aparato. Pero la crisis barrería pronto con esas fantasías.

Por otra parte, SIAM inició una larga relación comercial con la petrolera oficial, que condujo a Di Tella a una estrecha relación con el Gral Enrique Mosconi, su presidente. YPF estaba diversificando sus actividades e integrando verticalmente la producción desde el momento en que inauguró la refinería de La Plata, incorporando la distribución de kerosene, nafta y diesel oil. Esto último exigía crear un sistema de distribución y venta al por menor.

En 1925 YPF firmó un contrato con la firma Auger y Cía, propietaria de una red de distribución en el interior del país. Mosconi compró surtidores de SIAM para proveer a estas bocas de expendio, siendo estos contratos una de las razones principales para ampliar las instalaciones de la fundición. En sus comienzos la fundición requirió un local pequeño, en la calle Jean Jaurès; cuando tuvo que ampliar su producción, se trasladó en 1928 a la zona de Barracas. Con el trabajo de la fundición la firma amplió sus actividades a otros rubros: así se iniciaron las producciones de hornos, batidoras, y otros accesorios para las panaderías. La empresa era todavía un taller mediano, que contaba con 75 obreros y 15 empleados. Recién en ese momento se decidió separar el taller de la administración, que se estableció en Pueyrredón 115.

Estos planes de expansión preocuparon a Guido Allegrucci, que había cumplido más que sobradamente sus objetivos originales, y que seguramente albergaba algunas dudas acerca del equilibrio mental de su amigo y socio, a pesar de la admiración que le tenía. Es así que decidió retirarse de la sociedad, recibiendo su parte del capital, y se fue a vivir por varios años a Italia, aunque volvió antes de la guerra, para reincorporarse como gerente.

El año 1927 encontró a Di Tella en plena expansión de sus actividades. Debido a desacuerdos con el representante local de Wayne Pump, ese año se canceló el convenio con esa compañía y salieron al mercado los surtidores SIAM. También entonces transformó a su empresa en sociedad anónima con el nombre de Sociedad Industrial Americana de Maquinarias Di Tella Limitada (SIAM), y compró terrenos en Avellaneda para construir una gran planta industrial. Durante el año 1928 se habían creado subsidiarias en Sao Paulo, Santiago de Chile y Montevideo, que con el tiempo se convirtieron en unidades fabriles importantes, sobre todo la paulista. Las actividades en la nueva planta de Avellaneda se iniciaron en julio de 1929, donde un año después trabajaban ya 367 obreros y unos 20 empleados.

El llamado de la tierra: Vallongo

Durante los años prósperos de los veinte Di Tella decidió usar un crédito al que tenía derecho como ex combatiente para comprar, junto a su hermano Giuseppe, residente en Florencia, tres fracciones de campo, la principal de la cuales llamada Vallongo, con un total de 200 hectáreas, cerca del pueblo de Casanova, en Carmagnola, a 28 kilómetros de Turín. La operación se concretó en 1927, después de tomar otros créditos, y Giuseppe quedó como copropietario, aunque sin poner capital, invirtiendo lo que debería ser su sueldo por administrar el lugar, al que aplicó sus conocimientos agronómicos, construyendo nuevos canales, plantando álamos y dirigiendo el cultivo de forrajes y la cría de bovinos, mientras mantenía su puesto de profesor en Firenze, donde vivía.

Claro está que habría que seguir poniendo fondos, que vendrían de la inagotable Argentina, hasta que en el aún lejano 1938 el dinero comenzaría a fluir, con la tala de los árboles, o así lo hacian presumir los cálculos técnicos. Pero hubo muchos problemas, entre otros los ligados a la dificultad de conseguir administradores locales eficaces y honestos, y sobre todo porque desde la crisis de fines de 1929, y más aún desde el año siguiente, los envíos llegaban con cuenta gotas, y la misma SIAM estaba a punto de irse a pique. Tanto es así que en un cierto momento Torcuato le pidió a su hermano que consiguiera un nuevo préstamo, para con su producto pagar los vencimientos y enviar el resto a Buenos Aires. Pero sólo se consiguió menos de la mitad, y se debió encarar la posibilidad de vender, pero con la crisis no se podía realizar salvo con un precio vil.

Peppe quería que Torcuato viniera a Italia, en su proyectado viaje a Europa (que no pudo realizarse), para decidir juntos el futuro de Vallongo, que él deseaba le sirviera eventualmente a su hermano como un refugio si las cosas iban mal en Buenos Aires.

La inversión tenía un valor sentimental muy alto para ambos hermanos, y para Peppe especialmente. El mismo había tenido un hijo, Ottavio, que se había suicidado. Muerta también su esposa, se casó de nuevo, y tuvo una hija, Anna Maria, cuyos descendientes ya no llevarían el apellido familiar sino el de su marido, Giulio Presutti, un ingeniero forestal discípulo de su padre, y algo activo en el partido Fascista, como comandante de una Centuria. Cuando Torcuato tuvo su primer hijo, Peppe — después de reconvenirlo por haberle dado su propio nombre, lo que trae mala suerte, cuando había otros tan significativos como Vittorio, o tradicionales en la familia, como Salvatore, o Tomaso — se alegró de que ahora el apellido familiar se mantuviera. Era una cuestión "nada menos que de la conservación de la estirpe y tú sabes que con esa palabra no se juega". (23/2/1930).

Más adelante le agregaba:

Mi idea ha sido siempre hacer de Vallongo una posesión familiar de los 'Di Tella' y por lo tanto tuyo y de tus herederos que llevarán, sólo ellos, nuestro apellido de la cepa [ceppo] de Peppe Tomasone, padre de nuestro padre y de Salvatore. La parte mía y por lo tanto de Anna Maria se saldaría siempre en 'contante' sin tocar la propiedad inmueble. Hay en todo esto un invencible sentimiento, un poco ingenuo quizás (tú estás en Argentina y Vallongo está en Italia), un poco a la antigua, pero del que te ruego tener cuenta para ahorrarme el disgusto de dejar a otros (quienesquiera que sean) el goce de todo lo bello que he tratado de hacer y que he hecho. Compréndeme y compadécete, por lo tanto, de mi indecisión y mi dolor de vender (18/6/1930).

Cuando Giuseppe se entera de la "revolución" que ha estallado en la Argentina en 1930, le transmite sus temores de que "el triunfo de los super-poderosos intereses norteamericanos, que habrían alimentado — a lo que parece — el movimiento y serían su oculta raíz, no vayan a dañar a la naciente industria argentina." Filosóficamente, piensa que en naciones jóvenes y llenas de futuro como las de Sud América hasta las revoluciones pueden servir como inevitables crisis de crecimiento, pero "en esta vieja y arruinada Europa, exhausta por la guerra, de la que hoy se sienten las verdaderas, profundas y dolorosas heridas, las revoluciones nos hacen galopar hacia la decadencia y hacia la servidumbre económica del nuevo mundo. Pobre Europa!" (21/9/1930).

Torcuato le contesta diciéndole, de paso, que su interpretación de los acontecimientos argentinos, aunque sabe que es la "oficial" en Italia, es equivocada, pero sería demasiado largo explicar el tema. En lo que a él le atañe, la "revolución" produjo una disminución de las ventas de surtidores en un setenta por ciento. Ese problema podría haber sido superado, pero de golpe vino otra "revolución" en el Brasil, que lo ha arrastrado casi a la debacle final, de manera que no podrá mandar un solo centavo más.

Pasada la crisis, en 1934 Di Tella hizo venir a su hermano a la Argentina, quizás con la idea de entusiasmarlo para que aplicara sus conocimientos a explotar los tesoros forestales del país. Lo llevó a visitar el Chaco, le hizo ver las posibilidades de forestaciones en zonas aún no cubiertas de vegetación, pero después de un par de meses Giuseppe retornó a Italia, a cuidar de su Vallongo, y los hermanos ya nunca se volverían a ver.

Finalmente, las deudas se fueron refinanciando, y todavía en 1936 Giuseppe podía informarle a su hermano que iba allá a pasar el verano, para que su mujer, Rina, pudiera recuperarse de una persistente enfermedad neurológica.

Cuando, en 1939, Di Tella viajó a Ginebra por una reunión de la Organización Internacional del Trabajo, su mujer fue a Italia a visitar la parentela, entre ellos a Giuseppe, ya muy avejentado. Mientras mandaba a sus hijos a jugar, sacaba un grueso paquete de billetes, último envío financiero, aunque ya no para Vallongo, que debe haberse vendido poco antes, por poco más que las deudas pendientes. La "curva de las esperanzas", como llamaba a la proyección de ingresos dibujada en un prolijo papel milimetrado, nunca se hizo realidad. Giuseppe murió durante la guerra.

---

[1]. Gabriel del Mazo, comp., *El pensamiento escrito de Yrigoyen*, 2a ed., Buenos Aires, 1945.

[2]. Joaquín Castellanos, *Labor dispersa*, Lausanne, 1909.

Capítulo V

"Caro Maestro": Filippo Turati y la Lucha Antifascista

El círculo más amplio en que Di Tella se movía era el de los emigrados italianos antifascistas que giraba en torno a la hija de Giovanni Giolitti, Enrichetta, casada con el Ing. Mario Chiaraviglio, cuyos tres hijos dirigían una mediana empresa metalúrgica. Giovanni Giolitti, que dominó la vida política italiana desde inicios de siglo hasta el advenimiento del fascismo, fue un dirigente liberal que trató de orientar a su partido en sentido progresista, buscando colaborar con los sectores moderados del socialismo. Luego intentó esta misma estrategia cooptadora enfrente del fascismo, pero sin éxito. Para él tanto fascismo como bolcheviquismo eran expresiones extremas, irracionales, de credos que desde ya no compartía, pero que además básicamente no comprendía. Ante ese surgir de fuerzas oscuras, pensaba que la táctica adecuada era hacerlos participar en alguna medida en el poder, para domesticarlos, o incluso usarlos a unos contra los otros. Ya había empleado esa táctica con éxito ante los socialistas y los católicos, pero estas familias espirituales, aunque quizás conectadas por sus ramas a las otras más virulentas, eran realmente otro tipo de animal político. Las viejas estrategias demostraron ser inútiles, ante los extraños hijos de ese siglo veinte que con tan buenos pronósticos había nacido.

Las ideas giolittianas — que tenían una significativa semejanza con las que hemos visto expresarse en la Argentina a través del Ministro Joaquín V. González en el postrer roquismo — estaban muy presentes en su familia emigrada. Curio, uno de los tres hijos de Enrichetta, el intelectual de la familia, que se proclamaba "miembro hereditario del Partido Liberal", favorecía un sistema social por el cual todo el mundo fuera propietario de una chacra de tres hectáreas. En las discusiones, que se realizaban siempre en torno a una mesa muy bien servida, ya se sabía que en algún momento iba a saltar el tema, provocando las iras del dueño de casa, y el tono de voz iba en crecido aumento. Asiduo lector de obras de economía y planificación nacional, y últimamente del impactante *Conditions of Economic Progress*, el famoso libro de Colin Clark, precursor de la econometría (que ubicaba a la Argentina en el octavo lugar entre los países más ricos del mundo) Di Tella imprecaba a su distinguido huésped, terminando la discusión con un cortante "ma non dire fesserie!", con lo que por unos breves instantes cada uno se concentraba en su plato, pero sin alterar el clima de confianza y amistad que reinaba en esas reuniones y que pronto se reimponía.

Sus hijos, que contemplaban atónitos esta lucha de gigantes, estaban por supuesto del lado del "liberal hereditario", un tanto socialista utópico a su manera, y no veían nada malo en una distribución tan igualitaria de la propiedad, pensando seguramente que no se les aplicaría nunca a ellos. Otros comensales eran Giuseppe Nitti, hijo del político liberal italiano Francesco Saverio, que fue enviado por su padre para hacer fortuna, sin conseguirlo pues eligió el malhadado año de 1930 para llegar a estas playas; Sigfrido Ciccotti (hijo del más conocido Ettore), que fue activo socialista democrático, después de pasar por una etapa revolucionaria y facciosa que lo hizo sospechoso al círculo de los Chiaraviglio; Nicola Cilla, que luego sería columna de Italia Libre, y otros más, ligados al grupo de Giustizia e Libertá de los hermanos Rosselli, que fundaran hacia los años treinta el Partito d' Azione, de cuño reformista socialdemócrata, en París.

Durante los primeros años veinte Di Tella hizo un par de visitas a Italia, como parte de viajes de negocios principalmente orientados hacia Londres, ligados a problemas de la provisión de nafta y del uso de sus surtidores. Eran los primeros años posteriores a la Marcha sobre Roma (1922), cuando el Partido Fascista en el poder aún no había barrido totalmente los elementos del régimen constitucional, lo que ocurriría más decididamente a partir de 1925, después del asesinato de Matteoti. Su hermano Giuseppe era afín a la facción liberal de Franceso Saverio Nitti, otro de los políticos que intentaron, justo antes de la Marcha sobre Roma, una salida constitucional a la crisis de representatividad de la época.

No está claro desde cuándo Di Tella había adoptado ideas socialistas. No sería raro que ya desde antes de la guerra albergara simpatías en esa dirección, muy comunes entre jóvenes de la comunidad inmigrada de clase media en la Argentina. La guerra debe haber confirmado esta toma de posición, aunque no nos han llegado evidencias al respecto. Pero hacia fines de la década de los veinte había establecido una relación epistolar con Filippo Turati, dirigente del ala reformista del socialismo italiano, que organizó en el exilio francés la Concentrazione Antifascista. Esta fue financiada en gran parte por Di Tella, quien ya durante esa década se había convertido en hombre de fortuna, como consecuencia de la gran expansión de SIAM, sobre todo en el terreno de los surtidores de nafta. A fines de 1928, buscando sistematizar su ayuda, envió 100.000 francos, y se comprometió para el año siguiente a mandar 40.000 cada trimestre, aparte otros fondos que reservaba para el periódico humorístico Il Becco Giallo, redactado desde París por Alberto Giannini y Alberto Cianca. Turati le agradeció vivamente, en una primera carta fechada el 21 de enero de 1929, sugiriéndole varios destinos para los fondos, no sin antes señalar:

> *Admito que no le cueste mucho sacrificio, pero eso no impide que sea usted una rara avis entre tantos amigos de recursos que, en general, bajo el pretexto del temor esconden su avaricia. Cuando venga el día — y vendrá sin duda — en que pueda usted salir del anónimo y podamos escribir la historia de estos años de pasión, su nombre deberá ser puesto en bien clara luz, por haber financiado, casi solo, y tan eficazmente, nuestro modesto pero no inútil trabajo.*

Di Tella le contestó explicando los motivos de su anonimato, debido a la permanencia en Italia de su hermano Giuseppe, docente en el Istituto Superiore Forestale, de Firenze. Agregaba que por el resto no tenía nada que temer del régimen romano, y que desde la guerra sólo había estado en su país dos o tres veces por muy cortos períodos de tiempo.

En realidad, Di Tella estaba embelleciendo un poco la verdad, porque también él tenía, en Vallongo, una importante inversión inmobiliaria (a nombre de ambos hermanos, como vimos), y dependía de créditos bancarios. En 1924, quizás por gestiones de su hermano Giuseppe, ligadas a la compra de Vallongo, Di Tella, "industriale a Buenos Ayres", había recibido del rey el título de Cavaliere dell' Ordine della Corona d'Italia, por propuesta del Ministro de la Economía Nacional (y posiblemente también por méritos de guerra). Los cortos viajes a Italia que Di Tella menciona se han perdido en la memoria familiar. Sin embargo, en 1930 Peppe se refiere a la última vez que se habían visto, "hacía dos años", lo que podría referirse a un viaje de bodas (nunca referido por su esposa) o más bien a uno de negocios. Además, existe una foto de Di Tella en Alemania en 1924, en una "bañadera", como se llamaba entonces a los ómnibus de turismo descapotados, acompañado por una dama no demasiado agraciada, que quizás sea la "novia judía integrada" que parece haber tenido durante la guerra.

Sus contactos con el consulado en Buenos Aires se limitaban, decía en la carta a Turati, a renovar periódicamente su pasaporte, mediante "la solita congrua mancia" para que no hurgaran en sus antecedentes. Aun así, pensaba evitarse esa vejación en el futuro, tomando la ciudadanía argentina, y le proponía a su corresponsal que pensase si su condición de argentino podría ser útil a la causa común en un viaje eventual (que nunca realizó hasta terminada la guerra). El trámite de la naturalización debe haber llevado algún tiempo. Todavía en 1936 se hizo renovar el pasaporte italiano, aunque en un informe del Ministerio del Interior de Italia, del 17 de marzo de 1934, se afirma que Di Tella ha tomado la ciudadanía argentina, pero a veces estos datos estaban equivocados.

Después de decirle a Turati, en la misma carta del 1 de marzo de 1929, que le parecía excelente la forma en que proponía usar los fondos, le aseguraba que no necesitaba darle ninguna explicación al respecto. Sin embargo pasaba a sugerirle toda una estrategia:

Pero los señores ricos — industriales, comerciantes, etc. — que viven en Italia, no se dan cuenta que sería un negocio pagar un pequeño "seguro" para un futuro riesgo de incendio? Son realmente tan tontos como para excluir absolutamente el incendio? Los "señores ricos" viajan mucho, no debe ser difícil acercárseles; ¿nunca han tratado ustedes de proponerle a esta gente como un affare una contribución pecuniaria a nuestra causa? Piensan ustedes quizás que no es ético aceptar dineros dados por miedo y no por fe sincera? No creo que habría que tener este tipo de escrúpulos.

Están también los masones. Si se los escucha son los dueños del mundo. Y ahora qué hacen? Si no tienen un programa podrían ayudar financieramente a quien lo tiene o puede elaborarlo.

Yo conozco poco el ambiente italiano pero deben existir otras zonas que tengan interés o intereses que defender en un cambio de régimen. Es a estos intereses que habría que dirigirse ya que han fallado otras apelaciones. Si una clase no tiene la visión exacta de los propios intereses no tendrá luego ningún derecho a reclamar si a esos intereses nos vemos obligados a no tenerlos en cuenta.

Hay como una obsesión en esta danza de los intereses, en esta transmutación de plomo en oro. Recuerda la visión desilusionada de Alberdi, y al mismo tiempo demuestra ser un buen alumno de esas ciudades, que al decir del tucumano eran "liceos más útiles que nuestras pretenciosas universidades" para educar a la población a través del trajín de sus transacciones comerciales. Di Tella, por otra parte, debe haber confiado en encontrar comprensión hacia sus elucubraciones por parte de un connotado teórico de lo que podría llamarse el ala "economicista" de la socialdemocracia.

Más adelante, en la larga carta, da su apoyo a la propaganda del Becco Giallo, aunque sugiriendo que se podría elevar la puntería ("aumentare un pó il lievito", literalmente, la levadura) pues "es necesario crear o fomentar una conciencia rebelde, si es que no queremos decir — siempre para no asustar, etc — una conciencia revolucionaria". Pero, principalmente, afirma la necesidad de "elaboración política, científica y programática para el futuro" a la que Turati se había referido en su carta,

> *que es una cuestión de vida o muerte para el anti-fascismo. Es necesario — absolutamente — dar un 'contenido' a esta nuestra protesta continua. Primero de todo hay que dar contenido 'económico' a nuestro programa de reconstrucción; habrá que decir a nuestros campesinos cómo pensamos resolver el problema de la tierra; habrá que decir a nuestros obreros cuál es nuestro programa industrial, y a la burguesía media o chica o grande habría que tenerla en cuenta para modificarla, suprimirla o encuadrarla dentro de nuestro sistema económico. De propósito no he querido usar las palabras clásicas del socialismo; pero al fin y al cabo, hay todavía quien se asuste del socialismo? Hoy los capitalistas no se asustan ni de los comunistas de la NEP a la Stalin (y hacen grandes negocios!). En un país como Italia donde casi todas las industrias son subvencionadas directamente, o protegidas indirectamente por el Estado, no debería asustar una socialización de los medios de producción, especialmente si — al comienzo — se hiciera por mitad entre el Estado y los actuales empresarios. Sería un negocio también para los actuales industriales. Corro demasiado? Arriesgamos el mal humor de nuestros buenos amigos Nitti, Sforza, y Albertini, etc.? Qué esperan, qué sugieren? Una revolución por decreto real?*

Luego llega al tema de cómo influenciar a "la masa de los italianos — en Italia" que son quienes "romperán los diques, quienes decidirán la victoria". Pero a esa masa habrá que darle una orientación, y entra entonces a una "antigua idea": montar una estación de radio, en Francia o Alemania, que irradie básicamente informaciones económicas y propaganda comercial, para que la gente la sintonice, y ahí insertar las ideas, como la levadura que transforma la harina en pan. Para esto se precisa plata, mucha plata, no bastan sus cien o doscientos o trescientos mil francos anuales, hay que buscar otras fuentes, pues de lo contrario uno se queda en complots de pequeños grupos.

Turati le contesta que ha separado una importante parte de los fondos enviados para crear un Fondo Speciale Di Tella, que sirva para financiar proyectos de más largo aliento que algunos de los inmediatos en que estaba embarcada la Concentrazione Antifascista, o el Becco Giallo. Se propone formar una biblioteca para tener información, y preparar acciones orientadas hacia Italia, concentradas por ahora en el envío subrepticio del Becco Giallo en papel aéreo. También se puede pensar en alguna Conferencia Internacional, que reuniera al antifascismo de los diversos países del mundo, y a la que concurrieran intelectuales del más amplio espectro posible.

Ya Turati, en su anterior a Di Tella, le había dicho que no bastaba con los grupos que juntaba la Concentrazione: "las dos fracciones socialistas, la parte de los republicanos que se mantuvo hostil al fascismo, la Confederación General del Trabajo (CGL), y fragmentos dispersos de democracia y de liberalismo". Había que buscar convergencias con otra gente, "el Partido Popular (católico), el Partido Democrático, el Partido Conservador constitucional, hombres como Nitti, Sforza, Salvemini, etc., que están con nosotros, pero no entre nosotros".

De todos modos, agrega Turati, no hay que hacerse ilusiones con los "ricos italiano", que ni siquiera son accesibles, y en la radiotelefonía ni pensar. Para finalizar, le anuncia que Arturo Labriola, terminadas sus clases en Bruselas, parte para Buenos Aires, adonde algunos amigos lo llaman a pasar unos meses y dar conferencias. Se lo recomienda, advirtiéndole: "es un atormentado, un egocéntrico, imposible de encasillar en disciplina de partido: pero exuberante, como usted sabe, de ingenio y de cultura. Me permito presentárselo pensando que no le disgustará a usted brindarle una honesta acogida".

Di Tella le contesta, con un poco de retraso, en junio de 1929, informándole que Labriola ha estado en Buenos Aires y ya vuelve a Europa. Se congratula por el nombramiento de Henderson (en el nuevo gabinete laborista británico, a cargo de Relaciones Exteriores), esperando que mantenga las palabras que pronunció en Bruselas, pues se precisan grandes esfuerzos para que los laboristas ingleses entiendan bien el problema del fascismo. El socialista Briand en Francia también debería tomar un poco más de coraje en sus actitudes al respecto. Por otra parte, lo alerta acerca de L'Italia del Popolo, periódico antifascista de Buenos Aires que ataca a la Concentrazione desde la izquierda, aunque diciendo respetar al "ilustre anciano" Turati. Lo insta a continuar con su labor, aunque fuera sólo una de denuncia, pues "en estos momentos en que los valores morales de nuestro pobre país parecen caer vergonzosamente, hay que salvar al menos el honor". Hay que estar dispuestos a enfrentar acechanzas de cualquier lado, como la de los "delegados (autodelegados) que han vuelto del Congreso Antifascista de Berlín organizado por Henri Barbusse, [que] han dicho públicamente que antes que caer en la socialdemocracia es preferible que continúe el fascismo!"

L'Italia del Popolo estaba muy ligada a la izquierda del Partido Socialista de la Argentina, habiendo pasado antes por una etapa más filocomunista. Trataba de evitar caer en el antiyrigoyenismo, y se oponía vivamente al Socialismo Independiente. Tenía ciertas simpatías también por el sector escindido del PC, dirigido por José Fernando Penelón, entonces denominado Partido Comunista de la República Argentina, y luego Concentración Obrera. La ideología de L' Italia del Popolo se reflejaba en un editorial (del 27 de enero de 1930) titulado "L'insupportabile realtá", en el que afirmaba que "el fascismo es un fenómeno de clase, más exactamente, es el instrumento extremo del que se vale la clase capitalista en su lucha contra el ascenso del proletariado".

Turati contesta informándole que está ahorrando gastos para incrementar el capital del Fondo Di Tella, para usarlo en la preparación de una conferencia internacional que se contraponga a la que en Berlín organizó Barbusse, con apoyo comunista. Le comenta que Giannini, hombre "de vigor indómito, de gran voluntad y de coraje, original, extraño", que hizo un buen trabajo antes en Roma con su Becco Giallo, en París ya no da para más, no se halla. Si Di Tella pudiera llevárselo a Buenos Aires y conseguirle una posición bien remunerada, en el periodismo o la actividad comercial privada, haría "obra grande y compasiva a la vez", ayudándole a resolver sus complicados problemas familiares y a salir de la miseria en que se debate.

Mientras, Di Tella, que había establecido una relación de amistad con Labriola durante la breve estadía de éste en el Río de la Plata, lo instó a que pusiera por escrito alguna de sus ideas, y para ello le prometió remitirle unos fondos que le ayudaran a concentrarse en ese trabajo. Arturo Labriola (1873-1959), pariente del más conocido teórico marxista Antonio Labriola, era un napolitano de origen sindicalista revolucionario, que había sido intervencionista durante la guerra de Libia en 1911, y luego en la mundial. Había sido repetidamente electo a la Cámara de Diputados, y como sindaco (intendente) dirigió la administración de su ciudad natal. Había sido ministro del Trabajo en uno de los últimos gobiernos de coalición previos al fascismo, lo que ya lo colocaba en el sector moderado de la izquierda, y estaba en un continuado proceso de revisión de sus ideas.

Para Labriola la idea de establecer una colaboración con un empresario progresista era muy congruente con algunos análisis de interpretación sociológica e histórica que había publicado recientemente, según los cuales "la colaboración de la cultura y de las clases industriales es posible, no platónica y sin fuerzas, sino activa y militante, como la que se dio entre los enciclopedistas y ciertos grupos aristócratas innovadores". Labriola escribió, como resultado de la "beca Di Tella", el libro *Al di lá del socialismo e del capitalismo*, en cuya portada insertó una misiva a su amigo en la que le decía:

> *Ud sabe cómo ha nacido este libro. En la tarde del 25 de junio de 1929, en la Casa del Pueblo, de Buenos Aires, yo daba una conferencia sobre los problemas actuales del socialismo. Ud estaba en el auditorio y no me ocultó sus dudas y los problemas que las opiniones expresadas por mí le suscitaban. Pero, me agregó, porqué con todo esto no hace Ud un libro?*

Labriola observa las convergencias entre ambos regímenes,

en lo referente a la organización industrial, pero señalando la ventaja del socialismo en cuanto a que abre la carrera a los talentos, por comparación a un régimen de propiedad privada. Sin embargo, a Labriola le parecía "elemental", que "la sociedad socialista es una sociedad de dos clases, la de los trabajadores y la de los dirigentes de origen cultural", y de ello se deducían consecuencias "gravísimas para las perspectivas de una 'civilización obrera' o de una sociedad meramente 'trabajadora'" (p.179).

Este libro figuraba en lugar prominente en la biblioteca del industrial porteño, al lado de las *Conditions of Economic Progress* de Colin Clark, el *Capitalismo, socialismo y democracia* de Joseph Schumpeter, la *Teoría y práctica de la historia* de Juan B. Justo, y la *Managerial Revolution* de James Burnham, teórico de origen trotskista también en proceso — por demás rápido — de revisión de sus antiguas convicciones. Burnham, de manera mucho más decidida que Labriola, hablaba de la convergencia de capitalismo y socialismo, siendo la nueva clase de los managers la que estaba en trance de convertirse en dominante, a través de sistemas políticos aparentemente tan distintos como el stalinismo, el fascismo, o el New Deal rooseveltiano, pero en el fondo equivalentes en cuanto a su significado profundo. Di Tella, por lo que se puede deducir de sus actitudes, no aceptaba de modo alguno la "equivalencia" de estos regímenes, aunque sin duda leyó con sumo interés esa obra.

Pero volvamos al año 1929, que tan trágicamente para la economía mundial iba a terminar, con el crack de la Bolsa de Nueva York y la consiguiente quiebra de poderosas instituciones bancarias del Viejo y del Nuevo Mundo. Casi sobre el fin del año, desde el barco en que viajaba a Brasil, Di Tella le anuncia a Turati que la situación económica del país es grave, pero que tratará de mantener sus envíos, aunque algo atrasados. Le desaconseja un viaje a la Argentina, sugerido por un amigo, Poggi, que pretendía conseguir, mediante su influjo moral, sustituyendo al desaparecido Juan B. Justo, una reunificación de socialistas del partido y socialistas independientes: "Fatica inutile a pura perdita". Por otra parte, ubicarlo a Giannini será difícil. Lo ideal sería que trabajara en la redacción de La Patria degli Italiani, importante diario de Buenos Aires, que aunque antifascista de sentimientos no se pronunciaba para no perder los avisos de la banca italiana y las compañías de navegación. Ahí trabaja Canio Giuseppe Chiummientu, un amigo que después de mil angustias está como secretario de redacción, pero neutralizado. Otro periodista, Fabi, después de una odisea increíble por Brasil y Argentina, está como empleado menor en SIAM. Les escribe al mismo tiempo a Cianca y a Giannini, diciéndoles que la decisión sobre el uso de fondos para el Becco Giallo depende sólo de Turati. Les pregunta además qué pasa con el periódico antifascista dirigido en la ciudad de Sao Paulo por Mario Mariani, periodista que luego iría a Buenos Aires y se emplearía como prestigiado comentarista en Crítica hasta su retorno a la patria en 1947.

Di Tella escribe de nuevo en marzo de 1930, comprometiéndose a seguir "a cualquier costo" con su cuota, a pesar de que la crisis ha afectado a todos, pero especialmente a él. Duda de la utilidad del Becco Giallo, pero deja a Turati la decisión de cortarle los fondos; por lamentable que sea la situación de Giannini,

mi modesta contribución no tenía, no podía tener nunca el sentido de una ayuda personal. Hay demasiada tragedia en todos lados como para continuar todavía con la sátira. Si me permite una sugerencia, quisiera sólo recordarle la posibilidad de encender alguna pequeña llama en Italia; siempre que haya gente dispuesta a hacer el fuego... De una manera u otra creo que será siempre una explosión interna la causa de la caída del fascismo. Sería interesante saber qué repercusión ha tenido en Italia, sea en el país o en el fascismo, la caída de Primo de Rivera. No creo que pueda influir mucho pero es un pequeño consuelo; tenemos tan pocos. Me olvidaba que también en el Japón parece que ganan los liberales, y si es para consolarnos también el Japón sirve...

Finalmente, le agradece la fotografía que le mandó, en que se lo veía en un balcón, con su mujer, y que desde entonces siempre tendría en su escritorio, pero lo "ha puesto en un gran apuro por la contrapartida. Mi foto más reciente es de hace doce años (edición agotada). Deberé decidirme a posar, con gran alegría de mi mujer, que me lo pide desde hace tiempo, infructuosamente. Se ve que usted, querido maestro, tiene más fuerza de persuasión que mi mujer...".

Turati había tocado un "punto ciego" de su interlocutor, quien tenía un verdadero horror a las fotografías, y cuando podía se las arreglaba para no aparecer en ellas. Quizás el clic de la cámara le recordara el de un fusil, igualmente apuntado a un objetivo encuadrado en una mirilla, y no sería extraño que hubiera matado a más de un austríaco de esta manera, y que se hubiera salvado por poco de recibir igual tratamiento.

En ese año de 1930 habían llegado a París los hermanos Rosselli, escapados con Fausto Nitti de su confinamiento en las islas Lípari, lo que constituyó un aporte valioso a la organización. Por otra parte, el editor y economista Georges Valois — "en un tiempo sindicalista y algún tanto filofascista pero hoy definitivamente adquirido para nuestra causa", según Turati — lanzó una serie de libros en francés sobre temas italianos, lo que llamó la atención de la opinión pública transalpina sobre los problemas de la Península.

En Buenos Aires la crisis seguía a pleno, y SIAM estaba en apuros muy serios. Di Tella le escribe a Turati — "caro maestro", como siempre — que, aunque odia tener deudas, por ironía del destino justo tenía que terminar teniendo una con él. Le seguirá mandando fondos, de todos modos, pero ya el río es un arroyo. Apenas puede él mismo sobrevivir. Pasa enseguida a temas políticos. Le anuncia la conversión, finalmente, a pesar de los bancos y las compañías navieras, de La Patria degli Italiani al antifascismo explícito.

Pero esto ha causado remezones en el ambiente local, porque L'Italia del Popolo, que hace antifascismo demagógico y "purista" (quizás instigado por la Embajada, piensa Di Tella), siembra cizaña. El cambio es, para él, sin ninguna duda auspicioso:

para juzgarlo hay que partir del principio de que no se trata de un diario socialista; se llamaba y se llama diario liberal, con toda la falta de claridad {incertezza} de este vocablo. Es inclusive un diario hogareño {pantofolaio} y éste es precisamente el mérito porque entra en ambientes a los que no llegamos, especialmente en el campo, donde tienen siempre colgando de la pared las litografías de Mazzini, Garibaldi y Vittorio Emanuele, en una promiscuidad que no saben diferenciar. ¿Acaso la disciplina de partido nos debería obligar a criticar una cosa que consideramos buena, sólo porque no es del partido? No lo creo y sería un error imperdonable intentarlo. La gente de La Patria sostiene que es el diario más respetable entre los que se publican en el extranjero en lengua italiana, con gran difusión, etc, etc, y a nosotros nos acomoda creerlo, desde que podría ser cierto.

De nuevo, la "astucia de la razón", para decirlo de manera culta, o el uso de las fuerzas del adversario, para los entendidos en las artes marciales orientales. De paso, se le puede arreglar la situación a Giannini, porque ahora no habrá obstáculos para emplearlo en ese diario. Lo ayudaría a Chiummientu, "que suda siete camisas y es el verdadero héroe de todo este asunto". Le solicita a Turati su opinión sobre la conveniencia de pedirle artículos a personajes como Sforza y Nitti, lo que contentaría a los editores, un poco preocupados por las consecuencias de su decisión. Además — cherchez la femme — le manda su foto, que aún hoy se conserva como una de sus mejores.

Turati, que ya había pasado los setenta, y que quizás creía tener un interlocutor "con tutta la barba", le comentó luego: "Ma come siete indecentemente giovane...!" Tenía entonces 38 años.

Poco después, a fin de enero de 1931, Di Tella vuelve a escribir, bastante deprimido, y casi como pidiendo comprensión encabeza la carta "mio caro e buon maestro". Le revela que las cosas van mal, y no podrá seguir con sus envíos, salvo en magnitud muy disminuida. Dice que los resultados de la "revolución" local han sido para él especialmente serios, pero que "gravísimos y desastrosos han sido los efectos de la crisis y revolución en Brasil, donde he sufrido un desastre completo, con riesgo de arrastrar a todo el resto. He pasado momentos verdaderamente serios; ahora parece que la crisis (la mía particular) ha sido superada, al menos en su parte 'peligrosa' y todo depende de que no venga de golpe alguna otra revolución, lo que no se puede excluir". Además le informa de problemas entre Sigfrido Ciccotti y la redacción de La Patria, cuyos negocios van mal, también. En suma, que no ha sido posible contratarlo a Giannini.

Unos meses después, en mayo de 1931, abandonando la máquina de escribir y tomando la pluma, se dirige a su "carissimo maestro", informándole que ha estado a punto de quebrar, o entrar en concurso de acreedores — "presentar mis libros en el tribunal" — y que se ha salvado sólo por un milagro. Como además dice ser "todavía tremendamente ingenuo", no tiene ninguna reserva particular y todo lo que posee está en la firma. En pocas palabras, ha pasado "momentos verdaderamente feos". Se compromete, de todos modos, a mandar por lo menos 5.000 francos mensuales, aunque eso nunca se efectivizó. Se va a Chile por un mes, y desde ahí le escribirá con más calma, con detalles sobre los nuevos disensos en la colonia italiana (27/5/1931).

La correspondencia se interrumpe con una última carta de Turati de fines de 1931 — marcada personalissima — informando a su mecenas que, dado que su aporte prometido no llega, se verán obligados a cesar la actividad, y le pide si, aun a costa de sacrificios ("la tragedia de esta situación me exime de los respetos humanos") no pudiera mandar al menos una parte de lo que había anunciado. Al mismo tiempo le aclara que la Concentrazione mantiene buenas relaciones con Giustizia e Libertá, a pesar de lo cual hay a veces fricciones, y teme no vaya a ser que por alguna información distorsionada, llevada quizás por "el amigo recientemente llegado a Buenos Aires" Di Tella no se sintiera ahora más ligado a ese otro grupo y hubiera por eso suspendido sus aportes.

No es probable que fuera ésa la razón, a pesar de que de hecho Di Tella mantuvo estrechas vinculaciones con el movimiento formado por los hermanos Rosselli, que pronto se convirtió en el Partito d'Azione. En su archivo hay registros de envíos de fondos a Giustizia e Libertá, a La Giovane Italia, y al Nuovo Avanti, pero todos del año 1938. En la biblioteca que tenía en su oficina de la empresa al morir, figuraba una colección muy nutrida de folletos del Partito d'Azione, brevemente resucitado después de la liberación, para luego ser reabsorbido por el socialismo de Nenni o el de Saragat.

La correspondencia termina por la muerte de Turati, a comienzos de 1932.

CAPITULO VI

EL IMPACTO DE LA CRISIS DE LOS TREINTA

Un nuevo ambiente intelectual

Ya desde los años diez se estaba formando en círculos intelectuales una corriente nacionalista antiextranjera, que reflejaba otros semejantes sentimientos posiblemente difundidos en capas medias nativas. Dos tempranos exponentes de esta corriente fueron Ricardo Rojas y Manuel Gálvez.

Ricardo Rojas, proveniente de la clase alta de Santiago del Estero, pasó por la experiencia de ser "ninguneado" cuando estuvo como estudiante universitario en Buenos Aires, en medio de la ola de inmigrantes que hacían fortuna y no sabían nada de su pago chico ni de sus tradiciones y prestigios. En un viaje a Europa se dio cuenta de que los países del viejo continente eran menos internacionalistas de lo que parecían desde lejos. Al volver resumió sus puntos de vista en *La restauración nacionalista* (1909); más adelante se afiliaría a la UCR.

Manuel Gálvez provenía de una acaudalada familia de caudillos santafesinos. En *El diario de Gabriel Quiroga* (1910) expresa sus propias ideas, centradas en la búsqueda de una pequeña elite de gente dedicada a un ideal, por encima de la multitud. Dada esta posición aristocratizante, no simpatizó en un inicio con Yrigoyen, aunque se acercó más tarde a apoyarlo, recién en 1928, pero por poco tiempo. Pronto evolucionaría hacia el fascismo y el apoyo al golpe de 1930.

Tanto Rojas como Gálvez, con diversos fundamentos ideológicos e intelectuales, desconfiaban del rol demasiado preponderante de los extranjeros. Gálvez, contundente, condenaba la actitud de Sarmiento y Alberdi que nos habían convencido de que éramos unos bárbaros, trayendo "de las campañas italianas esas multitudes de gentes rústicas que debían influir tan prodigiosamente en nuestra desnacionalización", a los que se habían agregado luego los "judíos y anarquistas rusos, y se convirtió a Buenos Aires en un mercado de carne humana".[1]

La Semana Trágica de 1919 estimuló la reacción conservadora, y encontró en los extranjeros unos ideales chivos expiatorios. Desde ya, los judíos, pero también los demás. La Liga Patriótica Argentina fue fruto de este contexto político, y lo mismo puede decirse de la Asociación del Trabajo, que organizaba rompehuelgas y otros servicios laborales para las empresas.

Un extraño personaje, en este grupo, era Benjamín Villafañe, que había sido gobernador de Jujuy, y estaba fuertemente atacado por el virus del "peligro rojo". En 1919 prometía ir desde el Interior "a salvar la nacionalidad de una guerra civil semejante a la que legara Porfirio Díaz a México con su dictadura pacífica de aparente progreso". Con el tiempo se convirtió en uno de los principales agoreros acerca del peligro revolucionario en el país, que veía en manos "de 500.000 terroristas", y amenazado de una conmoción parecida a la mexicana. Al mismo tiempo denunciaba los negociados de los más diversos gobiernos, lo que lo llevó a ser muy respetado en círculos nacionalistas.[2]

El afamado poeta Leopoldo Lugones, que había comenzado su vida intelectual como encendido anarquista, ahora pasó al extremo opuesto. En 1924, enviado en delegación oficial al Perú por el aniversario de la batalla de Ayacucho, declaró que había llegado "la hora de la espada", para corregir los vicios de la democracia.

En 1925 aprovechó una discusión con el liberal católico Lucas Ayarragaray para hacer públicos sus sentimientos en mayor detalle. Una crisis ministerial ponía en esos momentos en evidencia los problemas que todo gobierno responsable ante la opinión pública tiene, de mantener una política firme en la gestión de los intereses económicos del país. Argüía Lugones que "el gobierno democrático es el más caro, porque está obligado al cohecho electoral perpetuo". Lo único rescatable que veía Lugones era el rol del Presidente, pero no pensaba que se lo podía salvar, salvo que se instaurara "aquella gloriosa dictadura que está triunfante o que se ve venir para todos los pueblos de nuestra raza".

A esa dictadura Lugones la consideraba como más representativa que el complejo sistema de partidos, elecciones, y división de poderes nacionales, provinciales y municipales, a través de los cuales se introducían de hecho las influencias de los grupos de presión privilegiados, y no la voluntad del pueblo. De este planteo a pensar que en la relación directa entre un líder y su pueblo reunido en la plaza había más legitimidad representativa que en el Congreso, había sólo un paso. Lugones, por cierto, pensaba que en países como Italia esa relación se daba, aunque no vivió para presenciar el proceso alemán, ni lo que luego ocurriría en la Argentina. Al tener más de cerca el fenómeno, quizás no lo hubiera aprobado, dado su espíritu aristocratizante, aunque también podría haber pensado que esa relación directa era el precio a pagar por el dominio sobre las masas.[3]

Combinando la representación corporativa y el rol del jefe, pensaban los nacionalistas — que en ese entonces se identificaban claramente como de derecha, pero antiliberal — que se podía evitar la demagogia, y asegurar que la gente votara a quienes conocía, dentro de su propio círculo de intereses. Esta idea tenía fuertes raíces en el pensamiento católico tradicionalista.

Ayarragaray, a pesar de su condición de católico militante, rechazaba a la representación corporativa como modelo sustitutivo del parlamentario, aunque la podía aceptar en roles asesores, que son los que de hecho se han dado en gran parte de las sociedades industriales modernas. Le respondió a Lugones admitiendo las fallas del sistema existente, pero recordándole — ya que el otro asumía una posición "realista" — que igualmente realista era darse cuenta de la existencia de "conformaciones legales que una vez incorporadas a la personalidad política de un pueblo no son dables suprimir bruscamente, sin promover peligrosísimos trastornos o retrocesos".

Lugones envió una última carta, cayendo un poco en sus excesos verbales juveniles, casi anarquistas, aunque ahora al servicio de un proyecto de derecha. Para ofender los sentimientos religiosos de su interlocutor, nada mejor que lanzar un par de *boutades* para pasar por hombre terrible. Después de decir que él no proponía la dictadura, sino que simplemente la veía venir como un hecho — en eso no andaba tan equivocado, dentro de una cierta perspectiva temporal —, añadía que "el jefe resulta una necesidad vital, y la fuerza la única garantía positiva de vivir" y que "Se nace león o se nace oveja, nadie sabe por qué. Pero el que nace león se come al que nace oveja, sencillamente porque ha nacido león".

Lo malo es que lo que empieza como un devaneo de intelectuales o de poetas termina siendo tomado en serio por sectores más amplios de la población. Estas eran las cornejas que se estaban criando en los tejados argentinos de aquel entonces.

Las tribulaciones de un industrial progresista

La experiencia diaria de trabajo en la empresa, y especialmente cuando se daban huelgas, creaba, por supuesto, tensiones particularmente graves a cualquier industrial con ideas progresistas. No le era fácil a Di Tella compatibilizar su activa militancia socialista en el campo internacional con su rol de patrón enfrentado a demandas obreras que seguramente consideraría imposibles de conceder, especialmente si el resto de los empresarios no se plegaba. En una oportunidad, posiblemente en la huelga de 1923, tomó la insólita decisión de concurrir al sindicato, a explicar su posición en una asamblea, esperando sin duda que los varios militantes antifascistas que él empleaba en su empresa concurrieran como claque apoyativa. Coraje no le faltaba, ni experiencia en manejar grupos grandes de hombres. Sabía bien que a las asambleas nunca iba mucha gente, y quizás serían menos que los miembros del cuerpo que había capitaneado bajo bien peores condiciones durante los años de la guerra. Todo este cálculo, de todos modos, fracasó: la experiencia fue desastrosa, como él siempre lo contaba y lo usaba para calmar los ardores progresistas de sus hijos adolescentes: "Mai piú!"

Otra huelga importante se inició a fines de 1929 en la fundición (ubicada en la Capital) por el despido de cinco activistas, y enseguida se plegó el personal de la nueva fábrica de Avellaneda. El paro tuvo episodios violentos, según denunciaba el sindicato en gacetillas reproducidas por varios periódicos, entre ellos L'Italia del Popolo y La Vanguardia. Según esa fuente la empresa contrataba a un agente de la Liga Patriótica "Asesina", ex carnero de la Thyssen, que iba a las asambleas pretendidamente como revolucionario, pero en realidad era para informar luego al patrón de lo que pasaba.

De acuerdo con la misma fuente, Di Tella se movía custodiado por agentes de Orden Social, y contrataba los servicios de matones de la Liga Patriótica, dirigidos por el noto Floriano Aí ón, que andaba con revólver provocando a los vecinos. Pocos días después se informa que la Liga Patriótica hizo una asamblea en el Club Vorwaerts, muy concurrida por los carneros. Dice el informe sindical que no pueden decir si la Liga actuó así por cuenta del industrial, o por su propia iniciativa, para congraciarse con él, pero alertaba a los obreros a no dejarse engañar por esas maniobras. Finalmente, el 5 de febrero se anuncia que el conflicto ha quedado solucionado, sobre la base de reincorporar a los despedidos, garantizar el derecho de asociación, y no tomar represalias. Todavía el 11 del mismo mes el sindicato informa al personal de SIAM que las condiciones pactadas no se cumplen por parte del patrón, aunque añade que "creemos que no sea él, sino sus capataces, que quieren ganarse unos galones".[4]

Hacia fin de mes el sindicato publica un largo informe, indicando que SIAM sigue sin cumplir, y que han hecho saber esto a la dirección de la Unión Sindical Argentina (USA), para obtener solidaridad. La USA los tramitó, principalmente porque el sindicato (Sindicato Obrero de la Industria Metalúrgica, SOIM) no estaba afiliado y por eso ésta no lo podía defender. Esta reticencia, suponía el sindicato metalúrgico, podía deberse a la acción de un cierto Francisco Docal Méndez, agente patronal que se movía en los ambientes de la central obrera. Los más heroicos miembros del Sindicato de Chauffeurs, en cambio, se habían plegado al boicot solicitado contra la empresa, que siguió trabajando en parte durante el desarrollo del conflicto. Pasados otros quince días el SOIM se dirige a "los gremios pactantes", quejándose de la falta de solidaridad de que han hecho gala durante el conflicto, salvo los siempre prontos chauffeurs.[5]

La USA, a través de su órgano Bandera Proletaria, resumía la situación, al finalizar el conflicto, condenando la actitud divisionista del sindicato metalúrgico, que había contribuido a la formación del Comité de Unidad Clasista, y que de manera inexperta iniciaba movimientos sin contar con las fuerzas suficientes.[6]

Años más tarde, en 1939, cuando Di Tella fue a la reunión de la Organización Internacional del Trabajo en Ginebra, el sindicato metalúrgico se niega a plegarse a las "loas" que la prensa en general había tributado a su discurso. Se pregunta: "Quién es Di Tella?" y dice que es socio del ex presidente Agustín P. Justo y del importador de maquinarias Negroni, y que su moderna fábrica lo convierte, al decir de muchos, en "el Ford argentino. Claro está, el americano Sr. Ford financia al descubierto parte del movimiento fascista, en cambio el Sr. Di Tella es un demócrata burgués posiblemente sincero, en un país en el cual siendo medianamente inteligente conviene serlo así; nos restaría averiguar si colocado en el trance de Ford, lo complementaría o no". Agrega que su "crítica sentimental a la política armamentista" no le ha impedido construir en su taller carros de municiones y ametralladoras, o permitir que los cargos técnicos y de suma responsabilidad estén ocupados por italianos fascistas. También critica el planteo de Di Tella de que había que hacer una gradual transición de la economía de guerra (en preparación) a una de paz, para evitar que la pacificación produjera una crisis.[7] La animosidad del sindicato ya se había expresado antes, ese año, en un artículo en que se denunciaba que "es una mentira que la firma es argentina; es una mentira que el 38% del personal tiene casa propia; es una mentira que el 70% del personal es argentino; es una farsa la creación de una colonia de vacaciones para los hijos de los obreros. Un 50% del personal es del Dopolavoro y 'Arbeitfront' controlando los puestos jerárquicos".[8]

La otra Avellaneda: el caudillismo conservador

Con una empresa en Avellaneda, Di Tella no podía menos que entrar en relaciones con Alberto Barceló, caudillo conservador de la zona, que comenzó a ocupar la intendencia en 1910 (reemplazando a su hermano Domingo) hasta 1917, y luego en varias oportunidades, directamente o a través de fieles delegados, hasta 1940. Casi todo el período del retorno conservador, entre 1930 y 1943, se caracterizó por la tergiversación de la voluntad popular a través del fraude. El lugar donde más abiertamente se lo practicaba era la Provincia de Buenos Aires, donde dominaba la máquina de Marcelino Ugarte. Su "hombre" en Avellaneda era Alberto Barceló, que tuvo gran autonomía y fue dominante en esa ciudad desde 1910 hasta 1940, ocupando casi todo el tiempo la Intendencia, directamente o a través de personeros. Llegó a separarse del partido conservador (Demócrata Nacional), formando su propio Partido Provincial, vigente entre 1922 y 1930. Su mano derecha era Esteban Habiague, Inspector de Policía, antes director de un hipódromo.

En una entrevista realizada a Habiague en 1971 por Luis Alberto Romero ha quedado una referencia a un encuentro de Di Tella con el jerarca municipal:

> Habiague: Un día estábamos con Barceló, estaba él, esos líos... Trataba bien a la gente, yo lo traté...
>
> Luis Alberto Romero: ¿Era medio socialista?
>
> H: Sí, bueno. Hay socialistas, vea, ¿quién era? ¿Repetto? Tenía el conventillo más grande de Buenos Aires... no sé si será cierto o no. Esos eran socialistas moderados, había localmente gente buena, por lo menos gente humilde, gente pobre, gente de clase media algunos, y obreros. Y entonces este Di Tella, estábamos al lado de Don Alberto, una tarde, yo no sé qué lío tenía en la fábrica. Estaban hablando con Barceló. Ya se iba a ir Di Tella, y estaba yo con un capote

de un género grueso. Estaban en el hall de la casa de Barceló. Le voy a traer, me dijo, un corte para que usted se haga un capote. Barceló lo había empezado a embromar. Me lo mandó a mí. Lo tuve un año o dos, yo me vestía en James Smart, la sastrería más cara de Buenos Aires. Bueno, voy a James Smart, a un cortador muy bueno, le expliqué y me dice, pero esto lo trajo Di Tella. Yo le pregunté cómo sabía eso. Porque Di Tella se viste acá. Así que era socialista y se vestía en James Smart.[9]

En las campañas políticas de Barceló, a comienzos de siglo, a menudo cantaba Carlos Cardel, cuando hacía sus primeras armas. Otro puntero era Juan Ruggiero, hijo, junto a dieciséis otros hermanos, de un carpintero napolitano. Ruggiero comenzó yendo a las puertas de la municipalidad para proveerse de comestibles distribuidos gratuitamente en tiempos de carestía. Murió en un tiroteo, en condiciones que nunca se elucidaron del todo.[10]

En el ambiente de recién llegados a la gran urbe, en los que comenzaban a ser barrios de latas, aún no villas miserias, se asentaba esa extraña máquina de Barceló, que no dejaba de tener su arrastre, aparte los fraudes que sin duda cometía, desafiando todos los controles que se podían inventar, especialmente cuando contaba con la benevolencia de las autoridades provinciales o nacionales.

La Isla Maciel, en esa época aún no cubierta con la villa miseria que hoy la habita, tenía un barrio asentado sobre el Riachuelo, centro de actividades poco lícitas, concurrido por aquellos que preferían evitar los controles vigentes del otro lado del riacho. Roberto Arlt la evoca como una mezcla de Africa y Alaska, porque a pesar de todo, para sus habitantes de repente se abrían posibilidades de empleo y de mejora, poniéndose por cuenta propia con algún boliche, quizás luego de hacer experiencia como obreros en las grandes fábricas metalúrgicas y textiles de la zona, comenzando, en los casos más desesperados, por algún frigorífico, aunque ahí se concentraba la mano de obra de los árabes, japoneses, croatas, ucranianos y otras comunidades de menor tradición inmigratoria que los sólitos italianos y españoles, y menos protegidas por sus gobiernos nacionales.

El mejor discípulo de Barceló era el médico Manuel Fresco, acomodado en el Hospital Fiorito. Juntos, enfrentaban a los inexpertos jóvenes reformadores del Partido Demócrata Nacional, que querían darle al partido una cara más presentable, gente como Rodolfo Moreno y Vicente Solano Lima, el último de los cuales se interesaba en temas obreros, pero nunca podría haber pronosticado el rol que el destino le depararía en la historia nacional.

Fresco hablaba mucho, casi de más, y no tenía pelos en la lengua cuando de defender sus prácticas se trataba. Era un convencido seguidor de las pautas señaladas por los Mussolini y los Franco, y no veía excesivas críticas que se pudieran hacer al régimen recientemente instalado en Alemania. Hablaba de "justicia social" y se ensañaba contra el capitalismo salvaje e imperialista — especialmente sus ocultos inspiradores judíos — tanto o más que contra el comunismo ruso. En fin, una persona difícil para tener como gobernador de la provincia en que uno desarrollaba sus actividades industriales.

Fresco estuvo al frente de su provincia de 1936 a 1940. Hubiera querido sustituir el anticuado método de elegir representantes a través de elecciones masivas y partidos políticos, por el más moderno de las corporaciones, pero la "partidocracia" se lo impidió. En 1940 le tocaba a Barceló tomar su puesto. A pesar de que Barceló era de más edad que Fresco, y tenía muchos más "antecedentes", recién ahora se animaba a salir de su pequeño pero jugoso feudo. Era, en alguna medida, una personalidad como la de Yrigoyen, que odiaba la luz pública, pero en algún momento las condiciones lo impelían a expresarse en una escena mayor.

Ese año 1940 el fraude fue escandaloso, y el gobernador, violando todas las normas de la decencia, a pesar de que había llegado al poder el reformista presidente Ortiz, obligó a la gente a revelar por quién votaba, o sea lo que se llamó el voto cantado. Acusado de ello, lejos de excusarse, hizo una teoría al respecto, afirmando que el voto secreto es "una cobardía impropia de argentinos, que aniquila el honor, la dignidad, el valor moral y la lealtad", pues "ningún ciudadano con dignidad debe ocultar la forma en que decide los problemas del país".[11]

Al final, Ortiz mandó la intervención, y frustró la carrera de Barceló, que nunca se recuperó. Fresco tampoco pudo retornar al poder, y se plegó, de manera periférica, al peronismo, en el cual, de todos modos, nunca tuvo mucha influencia, aunque se consideraba precursor de algunas de sus ideas.

Interludio sentimental

La compra de los terrenos de Avellaneda y la instalación de la nueva fábrica habían obligado a Di Tella a conseguir créditos en los bancos. Esta situación lo expondría bastante cuando la crisis mundial de 1930 redujo considerablemente el volumen de ventas y las ganancias de la empresa, que como vimos estuvo a punto de quebrar. Para Di Tella esto era caer en el destino familiar del que había tratado de librarse, volver a ver un molino parado. Su tío Salvatore, espectro de ese pasado, estaba aún vivo, pero a los 90 años ya no entendía nada.

Y ahora había más responsabilidades. En 1928 se había casado, finalmente, con María. El noviazgo fue largo, porque al volver de la guerra, como vimos, se interrumpió por la insistencia de Torcuato en recibirse antes. Como era bastante picaflor, terminó ligándose con una bella española que hacía la limpieza en la casa de Acoyte, Carmen, que era digna de su homónima operística. En esa casa la situación debe haber sido un poco explosiva, porque estaba alojada ahí también la hija de una familia de amigos del tío Cesareo, de San Luis, Romilda Stabile, que estudiaba odontología y era una intelectual, el polo opuesto de Carmen, y que fue una de las grandes pasiones de Torcuato, sentimiento ampliamente correspondido.

Pero Romilda, que conocía a María, no quería que su felicidad se construyera sobre las lágrimas de otra mujer, y puso distancias en la relación. Al final ganó la pasión de los sentidos sobre la del intelecto, y Torcuato puso casa — sin "formalizar" — con la fatal serva padrona. Hubo bastante consternación por este paso escandaloso, pero al final la familia aceptó a la que no podía menos que considerar una intrusa. Con ella Torcuato tuvo varios años de convivencia, pero la relación resultó poco satisfactoria.

En una oportunidad volvió a ver a María, y la llama se reencendió. Le pidió, sin embargo, que lo esperase un poco, porque le era complicado deshacer su liaison. María tuvo que esperar aún un par de años, mientras su madre, que la veía convertirse en solterona, le decía, entre costura y costura, que estaba perdiendo el tiempo, porque ese hombre, por simpático y "comprador" que fuera, nunca iba a sentar cabeza. Al final, en enero de 1928, se decidió, pero el matrimonio fue en Montevideo, por si acaso, y sin antes haber terminado de romper con Carmen. Enseguida zarparon en viaje de bodas a Brasil, mientras las hermanas tenían que aguantar en Malvín a la inconsolable Carmen, hecha un mar de lágrimas pero prometiendo venganza. La encontró casándose con un técnico italiano empleado en la firma, lo que les valió un despido y dos pasajes a Europa de ida sólo, más alguna remesa ocasional en el futuro. Un verdadero "divorcio a la italiana", y sin ni siquiera haberse casado antes.

Crisis y expansión: un toque de petróleo

Los serios problemas que casi llevan a la ruina a SIAM, a que Di Tella se refería en una de sus últimas cartas a Turati, se referían principalmente al impacto de la revolución de Uriburu sobre el mercado asegurado que SIAM tenía para sus surtidores en YPF. Lo que había ocurrido era que enseguida después del 6 de setiembre, el nuevo ministro de Agricultura, Horacio Beccar Varela, celoso del bien público, se decidió a cortar por lo sano la hidra de ese monopolio, una de las lacras del gobierno radical. Se usó una denuncia ya existente de un Sr. Mauro Marimón, según la cual se podían realizar fraudes en el menudeo de combustible con los surtidores SIAM, cuya peculiaridad y principal argumento de ventas era que ello era imposible gracias a su diseño.

Los surtidores tenían dos cilindros de vidrio — que se hicieron muy famosos como distintivo de la marca — que era preciso llenar con la bomba antes de dejar descender la nafta al tanque del automóvil. Marimón en su denuncia, del 5 de agosto, un mes antes de la revolución, decía que la División de Pesas y Medidas había dado su autorización por inconfesables y obvios motivos, pero que era posible introducir objetos en el fondo de los recipientes de vidrio, alterando su volumen útil, y de esta manera estafar al público, aparte de lo cual se podía contar mal el número de veces que se llenaban los recipientes, marcado en un registro especial. El denunciante se había ofrecido para cometer él mismo esta serie de "trucos", sin conseguir convencer al ministro radical Juan B. Fleitas, lo que demostraba el negociado. La cosa era grave, pues se violaban, incluso, preceptos claros de la Constitución Nacional.

De todo esto informaba con lujo de detalles L'Italia del Popolo, que lo hacía "no sólo por deber informativo sino también porque las prácticas fraudulentas dañaban en primera línea a las clases populares y especialmente a la noble categoría de los choferes de plaza, que son los que hacen más consumo de nafta". El periódico agregaba que el responsable de todo esto era el mismo Di Tella que "asumía actitudes frondistas en materia de antifascismo y que se hacía fotografiar con el hon. Arturo Labriola y parecidos jumentos de la 'Patria'. Es el mismo industrial que enfrentó hace unos meses un conflicto con sus obreros e hizo prolongar inútilmente una huelga antes de reconocer las legítimas y moderadas demandas del Sindicato de la Industria Metalúrgica."[12]

Lo que había de serio en todo esto era que el nuevo gobierno buscaba debilitar la situación de YPF y del sistema de proveedores de la empresa. El rol político que tuvo el petróleo durante los años veinte en la Argentina, y especialmente en la desestabilización del último período presidencial de Yrigoyen, fue muy estratégico. La figura central entre los que propugnaban que la explotación fuera principalmente realizada por YPF fue el Gral Enrique Mosconi.

Según él cuenta, el tema se le convirtió en obsesión cuando en 1922, estando al frente del Servicio de Aeronáutica del Ejército, necesitó nafta de aviación para aprovisionar las máquinas

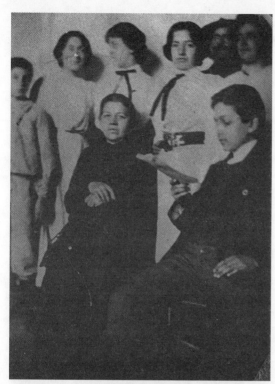

*En Bagnoli Irpino, 1905,
antes de la segunda
emigración. Torquato,
de 13 años, con su
madre Anna María, las
hermanas Laura y
Bianca al centro,
Salvatore al fondo, y
otras personas no
identificadas.*

*En las estación del FC Pacífico, en Retiro, en 1905, enseguida después de llegar a
Buenos Aires. Encuentro con Cesáreo y su esposa ...*

Torquato a los diecisiete años. (1909).

Torquato, durante la guerra, 1917. (A la derecha)

El Famoso surtidor SIAM, con sus dos tanques a la vista.

La fábrica de SIAM en la calle Córdoba 2850, en 1926. Di Tella abajo a la izquierda

Vinieron visitas... que tardaron en irse. El otro civil, de bigotes, es Luis Colombo, presidente de la Unión Industrial. Al lado de Di Tella, el Ministro de Guerra (noviembre de 1937).

Con su esposa, y otra persona no identificada, en Ginebra, después de pronunciar su discurso en la Asamblea de la Organización Interrnacional del Trabajo (junio de 1939).

En una reunión de Italia Libre, 1941.

Una copa con industriales panaderos, y un poco de propaganda.
Octubre 1941.

Foto que le mandó a Turatti en 1920.

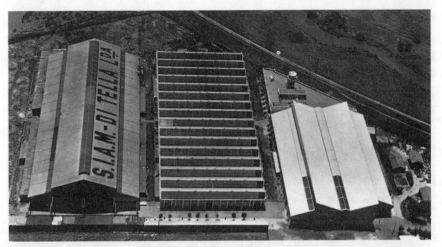

La fábrica de SIAM de Avellaneda, hacia el final de los años treinta, antes de su gran expansión

El banquete de Severo Arcángelo. Se lo dieron los amigos al ser designado profesor de la Universidad de Buenos Aires, en junio de 1944.

La fábrica de caños SIAT, en construcción en 1948, que no llegó a ver finalizada.

La línea de montaje de heladeras en la fábrica de A·ellaneda, años cuarenta.

que debían realizar un vuelo hacia las zonas de frontera, para adiestrar a los que debían manejarlas, y como forma de promoción de la nueva arma. Envió un dependiente a pedir al gerente de la subsidiaria de Standard Oil la entrega del combustible, indicando que luego se le pagaría. El gerente, poco convencido de la "credit-worthiness" de la repartición oficial, se negó contundentemente. Mosconi se enfureció, preguntándose qué pasaría si se tratara de "atacar una escuadra enemiga, que desde la rada amenazara con sus cañones la ciudad de Buenos Aires". Desde entonces, dice Mosconi, se juramentó consigo mismo a "romper los trusts".[13]

En 1923, al poco tiempo de haber asumido Alvear la presidencia, Mosconi fue designado a cargo de la producción del petróleo oficial, que aún no estaba organizado como empresa. Mosconi le dio ese carácter y contribuyó a implantar y popularizar la sigla YPF. Su idea era consolidar el área de prospección y producción directa por parte del Estado, y además controlar el expendio de todo el combustible en el territorio nacional, para controlar las maniobras de precios que a su juicio realizaban los "monopolios".

Ante la campaña electoral de 1928, la derecha económica nacional y extranjera se alarmaba ante la reorientación nacionalista y de izquierda de la UCR. La Embajada de los Estados Unidos en Buenos Aires se preparaba para lo peor, como resultado de las manifestaciones del senador yrigoyenista Diego Luis Molinari, y de los materiales que a diario aparecían en La Epoca, órgano de ese sector.

La Cámara de Diputados había aprobado a fines de 1927 un proyecto para nacionalizar la explotación del oro negro. No todos en el partido Radical estaban de acuerdo con este enfoque estatizante, que en cambio era congruente con las declaraciones, desde años, del nuevo presidente, que deseaba evitar en este tema una entrega de patrimonio nacional equivalente a la que había ocurrido respecto a la tierra en la región pampeana.

La oposición del Senado — con mayoría antiyrigoyenista — no permitió avanzar en los proyectos estatizantes del nuevo gobierno radical. Este, sin embargo, decidió poner una cuña en el campo de la importación, firmando un contrato con la Unión Soviética, tema delicado y fácilmente explotable por sus opositores.

El régimen de Uribiru, por cierto, revirtió la política respecto de YPF, y dio por terminados los contratos de SIAM, como vimos antes. Por otra parte, la crisis mundial había puesto fin a la euforia automotriz en el país.

SIAM se encontró en graves dificultades, ya que el endeudamiento y la ampliación de la fábrica eran la respuesta al seguro contrato de provisión de YPF, y a la expectativa de crecimiento del mercado en general. Pero ahora las circunstancias internacionales habían revertido completamente la situación. Se hacía necesario reducir los gastos y desarrollar nuevos productos que compensaran la disminución de las ventas de las líneas tradicionales.

Paradójicamente, fue la crisis mundial de 1929 la que proveyó las condiciones para el desarrollo de la actividad industrial en el país, al disminuir su capacidad de importación. Estas condiciones del comercio mundial se mantuvieron sin muchos cambios durante casi toda la década, y el proceso se vio seguido por la Segunda Guerra Mundial, que produjo la interrupción de las importaciones. Es así que el país debió recurrir a una opción que lo llevaría por el desarrollo de aquellas actividades industriales que sustituían a las importaciones.

Las medidas adoptadas por los gobiernos conservadores del período, si bien orientadas a ayudar a los sectores agropecuarios y a la tradicional relación privilegiada con Gran Bretaña, beneficiaron a mediano plazo las actividades económicas de Di Tella, una vez superada la crisis de la rescisión de contratos de provisión a YPF. A partir de 1931 se efectuaron diversas elevaciones de los derechos aduaneros y se estableció un derecho adicional del 10 % a todas las mercaderías importadas. Entre 1931 y 1932 el peso fue devaluado aproximadamente en un 40%. Finalmente en noviembre de 1933 fue establecido el control de cambios, a través del cual el gobierno centralizó en sus manos las divisas provenientes de la exportaciones, y las distribuyó en forma limitada, controlando mediante permisos de importación los productos que se introducían al país. Esto permitió mantener las importaciones concentradas en el mercado británico en detrimento del norteamericano. Entre las ramas de la industria que más se adaptaban al desarrollo en los años treinta en la Argentina, las industrias de maquinarias y artefactos eléctricos a las que se abocaría SIAM tenían una demanda sumamente dinámica en razón del proceso acelerado de electrificación de una serie de esferas de la vida privada.

Años duros

La primera mitad de los años treinta fue de amargura, de correr de un banco a otro, de ver la ventas reducidas. Presionado por sus acreedores bancarios, Di Tella debió reducir los salarios de todo el personal y vender parte de los terrenos que la fábrica no utilizaba en Avellaneda. Al final pudo salir a flote, y fue desarrollando nuevos productos, que aprovecharan el personal calificado que la firma poseía en su planta de Avellaneda.

Fueron introduciéndose así la línea de bombeadores de agua y la de los equipos de refrigeración. Fue la heladera domiciliaria la que le dio más prestigio a la firma, y su primera producción masiva. Di Tella desconfiaba mucho de entrar en este campo, pues creía que el costo de la unidad sería excesivo para la familia media argentina. El prefería seguir en la conocida línea de las heladeras comerciales, iniciada hacia 1932, que tenía un gran mercado en los pequeños negocios de todo el país, que no se producía tan en serie, y que por lo tanto estaba menos sujeta a la competencia internacional. La insistencia de Clutterbuck, su principal colaborador en el área comercial, al final lo convenció, y el proyecto demostró tener gran rentabilidad.

La venta de las heladeras domésticas requería un sistema de comercialización muy extendido, lo que llevó a la organización de concesionarios, ya que todos los productos requerían la instalación y la atención mecánica. Entre 1932 y 1936 se experimentaron varios modelos poco satisfactorios, hasta que en dicho año se firmó el acuerdo con la Nash-Kelvinator Company, que suministraría planos y algunas piezas de difícil fabricación en la Argentina. También a partir de 1936 el gobierno abolió las restricciones impuestas a la actividad de YPF, lo que significó la reanudación de las compras de surtidores y equipos para estaciones de servicio. Esto llevó a firmar otro acuerdo con Wayne Pump, por medio del cual SIAM se convertía en su representante en Argentina, Chile y Uruguay, situación que permitió que en 1937 la crisis de la empresa estuviera superada definitivamente e iniciara un nuevo período de expansión. Di Tella había comprendido las dificultades que entrañaba emprender actividades de diseño y fabricación de nuevas maquinarias sin asesoramiento técnico y había desarrollado una estrategia flexible de acuerdos de importación y desarrollo propio.

En 1934, habiendo ya establecido su sucursal en Chile, compró el control de la azufrera de Juan Carrasco, empresario chileno residente en Antofagasta. La mina, cerca del volcán Aucanquilcha, en el distrito de El Loa, estaba cerca del límite con Bolivia, y sus trabajadores eran todos bolivianos. A pocos kilómetros tenía una pequeña planta de elaboración, en Ollague, sobre las vias del ferrocarril a Bolivia. Esta asociación fue parte de un gran proyecto de expansión en América Latina, y de diversificación empresaria. Se tenía en esa época muchas esperanzas acerca del azufre, útil para la fabricación de ácido sulfúrico y como plaguicida. El negocio no funcionó muy bien, en parte por lo que los empresarios locales consideraban un dumping norteamericano, y al final hubo que liquidar la inversión, después de la Segunda Guerra Mundial.

---

[1].   Manuel Gálvez, *El diario de Gabriel Quiroga,* Buenos Aires, 1910.

[2].   Benjamín Villafañe, *Nuestros males y sus causas,* Buenos Aires, 1919, y *Hora obscura: la ofensiva radical-extremista contra la sociedad argentina,* Buenos Aires, 1935.

[3].   Lugones a Ayarragaray, julio de 1925, reproducida en Lucas Ayarragaray, *Cuestiones y problemas argentinos contemporáneos,* Buenos Aires, 1926.

[4].   Ver L'Italia del Popolo y La Vanguardia, entre el 20/1 y el 24/2/1930.

[5].   Los "gremios pactantes" eran posiblemente los que habían convenido, en un primer momento, solidarizarse con la huelga del personal de SIAM.

Los Chauffeurs (que incluían a los camioneros que traían y llevaban materia prima y productos terminados de la empresa) eran anarquistas. Docal era, según Cabona, un conocido agente patronal, que una vez trató de enrolarlo como colaborador.

(6). "Quien siembra vientos...", Bandera Proletaria, 3/3/1930.

(7). El Obrero Metalúrgico, diciembre de 1939.

(8). El Obrero Metalúrgico, enero-febrero de 1939.

(9). Entrevista a Esteban Habiague, Programa de Historia Oral, Instituto Torcuato Di Tella, realizada en junio y julio de 1971 por Luis Alberto Romero.

(10). Norberto Folino, *Barceló, Ruggierito y el populismo oligárquico,* De la Flor, Buenos Aires, 1983, p. 116.

(11). Manuel Fresco, *Ideario nacionalista,* Buenos Aires, Talleres Gráficos Padilla y Contreras, 1943, pp. 235-236.

(12). L'Italia del Popolo, 30/9/1930; la misma información en La Prensa, 27/9/1930.

(13). Enrique Mosconi, *La batalla del petróleo,* selección y prólogo de Gregorio Selser, Buenos Aires, Ediciones Problemas Nacionales, 1957, pp. 27-29.

CAPITULO VII

EL ANTIFASCISMO
EN LA ARGENTINA

El "milagro" que había salvado a Di Tella, a mediados de 1931, tenía nombre y apellido: Jorge Schmidt, subgerente del Banco Alemán Transatlántico, que le siguió otorgando créditos con su sóla garantía personal, corriendo un grave riesgo bancario. Esta relación siguió a pesar de las diferencias políticas entre ambos. En años posteriores Schmidt le enviaba a Di Tella la edición en español del Deutsche La Plata Zeitung (diario pro nazi). Di Tella, con un poco de sorna, le contestó en una ocasión agradeciéndole el envío, que se lo pasaba a Guy Clutterbuck, principal ejecutivo de la empresa, para que éste se enterara de la "verdad verdadera", y para retribuirle le mandaba ejemplares de Italia Libre, que le podrían "interesar, como indicación de que los fascistas nunca se equivocan".

Para ese entonces la relación entre ambos había sufrido un serio remezón. En reconocimiento al apoyo recibido del Banco Alemán, Schmidt era miembro del directorio de SIAM, situación ésta que una vez declarada la guerra no pudo menos que recibir serias críticas por parte de los diplomáticos norteamericanos, quienes demandaron su eliminación. Schmidt se refiere a este episodio en carta a Di Tella, de mediados de 1941, en que le dice que "como amigo que desea evitarle cualquier clase de molestias me veo obligado a rogarle de no insinuar en la próxima Asamblea General una reelección de mi persona por mi carácter de gerente de una institución alemana, a pesar de ser yo argentino de nacimiento". Di Tella le agradece el gesto, asegurándole que "nuestra amistad es de muchos años y nada la podrá interrumpir, a pesar de todo y de todos".

Di Tella había recibido presiones muy fuertes de la embajada norteamericana, y se las refiere a Norbert Bogdan, gerente
de la J. Henry Schroder Banking Corp., que obviamente estaba
dispuesto a cortar los fondos si no se resolvía el tema. Di Tella,
después de aceptar la desvinculación de Schmidt, le dice a su
interlocutor:

*Respecto a mi situación personal, simplemente
quiero decirle que he sido antifascista cuando la mayoría de los ingleses y americanos se tragaban la propaganda, admirando los trenes que llegaban puntuales en
Italia, cuando Mr. Churchill volvía de Roma entu-
siasta y diciendo que si hubiera sido italiano se habría
puesto la camisa negra.* [1]

El tema de la relación con el Banco Alemán ya había traído
problemas, a fines de 1940, en Chile, donde, en la línea de la
diversificación de inversiones, Di Tella había comprado una radio, dirigida por su cuñado y gerente de la sucursal chilena,
Juan Robiola. Este le dijo que el Banco Alemán pedía, a cambio
de los créditos que le otorgaba y continuamente refinanciaba,
que la radio pasara informativos que en realidad eran propaganda del Eje. Juan, por lo que se colige de la correspondencia,
había argumentado que esto era necesario para evitar represalias, y que con reproducir programas de los dos bandos en guerra se salvaba la conciencia y la neutralidad del país que los albergaba. Di Tella le contestó una carta bastante airada, indicándole que los bancos no hacían un favor a nadie al concederle
préstamos, sino un negocio. SIAM tampoco les hacía favores a
los clientes a quienes les vendía excelentes productos a precios
acomodados. Por otra parte, el dinero que le prestaban no era
alemán, o inglés, porque

*estos bancos prestan sólo plata chilena o de los
chilenos o habitantes de Chile, para tu información! En
el comienzo, cuando estos bancos se forman, traen algún capital, pero eso es muy poco comparado con lo
que controlan, y lo que controlan son los ahorros de los
chilenos ahí, de los argentinos aquí, etc. Los chilenos,*

*argentinos, etc., son gente ingenua que en vez de depo-
sitar su dinero en el Banco de Chile o el Banco de la
Nación, depositan en bancos extranjeros.*

Le indicaba que siguiera operando con todos los bancos como siempre, al igual que lo que él hacía en Buenos Aires por
sumas mucho mayores, y que ocurriera lo que ocurriera. Le informaba que sus amigos del Banco Alemán Transatlántico, tanto
Schmidt como el Gerente General de Buenos Aires o el de Berlín (de viaje por Sudamérica) le habían pedido avisos para el
Pampero, "el diario que publican aquí en español", pero se los
había negado, y lo habían tenido que aceptar, aun sabiendo
que él mandaba avisos "al diario inglés y aun al judío". Apelan-
do a sus mejores dotes de elocuencia, le agregaba que no estaba dispuesto a renunciar a su dignidad, y "aunque me costara
toda la SIAM de Buenos Aires y Chile (y aun de Uruguay y Brasil) espero que nunca deba renunciar a mis ideales por temor
de perder dinero". Al final la radio fue vendida a una compañía
inglesa.[2]

Por un informe de la embajada italiana nos enteramos de
otro episodio de los que conmovían a la dividida colonia italiana. El director del periódico fascista Il Mattino d'Italia, Lino Negra, un día de febrero de 1932 se dirigía a su imprenta cuando
fue interceptado por dos sujetos, con insultos al fascismo. Todo
terminó con unas trompadas y en la comisaría, de donde salieron con una multa. Resultó que uno de los agresores era un tal
Filippo Ferri, contador, que había emigrado de Italia y en Buenos Aires había sido provisoriamente empleado por SIAM, y
luego más definitivamente por la firma de agentes de bolsa Levi
Hermanos, a través de influencias de Giuseppe Nitti. Los Levi,
junto con Mauro Herlitska — ligado a empresas ítalo-suizas de
electricidad — también formaban parte del círculo de amigos
de la familia Di Tella, aunque sin militancia política destacada.

Otro antifascista ocupado por SIAM desde 1922 a 1928 fue
Raffaele Porta, luego empleado en Pirelli (ahí sin revelar su
identidad). También se decía en ambientes de la Embajada que
Di Tella se disponía a emplear a Felice Giacobbe, que emigraba
en 1939 desde Francia, tras un pasado de actividades en la co-

munidad exiliada. El portero de la fábrica, Vincenzo Marcelletti, "de ideas comunistas y sentimientos de aversión al Gobierno Nacional, pero sin actividades dignas de relieve", estaba también fichado.

Hacia estos años Di Tella estaba tratando de hacer venir a la Argentina a Francesco Saverio Nitti, conocido político liberal, que había tenido un rol en los últimos intentos infructuosos de evitar el acceso de Mussolini al poder. Su presencia contribuiría a dar respetabilidad al antifascismo local. Hay una correspondencia entre ambos nada parecida a la que se intercambió con Turati. Sólo quedan cartas de Nitti, todas encabezadas "Caro signor Di Tella", siempre anunciando la próxima caída del régimen, y finalmente una en que inmodestamente considera su libro *La Democrazia*, "resultado de toda mi larga experiencia", como una "obra que quedará como fundamental para comprender los fenómenos políticos de la sociedad moderna". Al menos así lo hacía entender la ola de traducciones hechas o anunciadas: al francés, al alemán, al inglés, al portugués y al japonés. Seguramente pensaba interesar a su corresponsal en hacer verter la obra al español. También estaría de acuerdo en escribir para La Prensa, si ésta se lo solicitaba, y le agradecía mucho las continuas deferencias que tenía con su hijo Giuseppe.

En 1934 un episodio menor produjo una importante iniciativa: la creación de La Nuova Dante, en los locales de Unione e Benevolenza. En la Dante Allighieri, bajo dirección fascista dado su carácter oficial, una maestra, Inés Tirana Terzi, hacía subrepticiamente propaganda contra el régimen, por lo que fue despedida. Las reacciones de sus alumnos y de la opinión pública, promovidas por la Italia del Popolo, determinaron que un amplio sector, incluyendo "el grupo demosocialmasón que publica 'La Nuova Patria'" apoyaran la iniciativa. La nueva asociación tuvo como presidente a un prestigiado médico, Luigi Delfino, y como Secretario y espíritu organizador a Nicola Cilla. Su elenco de autoridades es prácticamente el del antifascismo de la época, casi todos "prontuariados" por los diligentes funcionarios de la Embajada. En la Junta Escolástica estaban Michele Bianco, comerciante, Giuseppe Chiummientu, abo;ado y publicista, y Antonio Piccarolo, profesor de filosofía y literatura italiana.

La reunión de Montevideo

En 1941 la colonia antifascista italiana comenzó a planificar la organización de una entidad que los agrupara a todos, "que estaría presidida por el Ing. Chiaraviglio (Mario) y financiada por el conocido Di Tella con los varios Mario Mariani, Cilla, Tempesti, Vincenzo Nitti, etc.", según informaba la Embajada a sus superiores en Roma. En realidad, como la misma fuente aclaró luego, Mario Mariani no sería de la partida, por haberse desprestigiado debido a sus vitriólicos ataques contra el Ejército italiano, publicados en L'Italia del Popolo.

La embajada inglesa estaría detrás de este proyecto, con dinero, para transformar al semanario Italia Libre en diario, y se pensaba, siempre según la misma fuente, conseguir el apoyo "de los partidos políticos locales y de las organizaciones obreras afines a ellos". Otro objetivo era contrarrestar la acción de los entes fascistas, especialmente la Consociazione Italiana, que reemplazaba a los Fasci y Sezioni Dopolavoristiche, disueltos por orden del Congreso nacional. Principal rival periodísitico sería Il Mattino d'Italia, órgano del régimen. Para unificar a la prensa antifascista — y sacarse un moscardón de encima — se pensaba adquirir a los hermanos Mosca, sus dueños, la Italia del Popolo.

Y aquí el Diablo metió la cola, basándose en las infinitas debilidades humanas. Así lo atestigua un largo memorial del mismo embajador. Al parecer, Di Tella le ofreció a los Mosca 20.000 pesos, pero ellos rechazaron la oferta, porque sus deudas alcanzaban los 40.000, y ellos querían quedarse con 10.000 pesos limpios después de la venta. Como esto era demasiado, las hostilidades se iniciaron, y la gente de Italia Libre convenció a los ingleses de que suspendieran el subsidio que ellos otorgaban a la Italia del Popolo. Ni lentos ni perezosos, los Mosca iniciaron una violenta campaña para denunciar la acción de "elementos notoriamente vendidos al extranjero para apropiarse para fines inconfesables de la dirección del antifascismo local". El diplomático agrega que los hermanos Mosca, viéndose contra la pared, hicieron aperturas indirectas hacia la Embajada, para ver si ésta los financiaría, cosa que él consideraba útil, pues podían desprestigiar al más peligroso grupo de Italia Libre. Por cierto que en L'Italia del Popolo, aunque se predicaba la unidad antifascista, no se trataba nada bien a sus rivales en ese sector, donde según ellos "se defienden intereses, y para su defensa todo lo demás pasa a segundo lugar y se preparan para recibir la herencia de mañana, para que Italia no caiga en poder de los trabajadores del brazo y del cerebro".

Aquí otro hilo complica la madeja. Ocurre que Chiummientu, que seguía dirigiendo el semanario La Nuova Patria, se negaba a entrar al nuevo órgano, cuya dirección se le ofreció. Ante su negativa, Di Tella, que antes confiaba mucho en él, lo despidió de SIAM, donde, previsiblemente, trabajaba. Chiummientu comenzó entonces a atacar el despotismo de Di Tella y sus amigos, satelizados "a los intereses norteamericanos, a los cuales está ligada la empresa". El embajador termina su nuevo informe (del 9 de agosto de 1941) diciendo que "desde hace unos tres meses esta Oficina Reservada utiliza, con provecho, a Chiummientu". Estas palabras pueden interpretarse de diversas maneras, y deben ser tomadas *cum grano salis*, como de quien vienen, porque a lo mejor el diplomático simplemente quería quedar bien con sus superiores, exagerando sus maquinaciones.

En 1942 culminó la actividad de Italia Libre con la organización de una Conferencia de italianos antifascistas de diversas partes del mundo, en Montevideo. Vinieron delegaciones especialmente de los Estados Unidos, América Latina y Egipto, y estuvo presente el Comandante Randolfo Pacciardi, quien debía dirigir una Legión Italiana de voluntarios, y el Conde Carlo Sforza, que después de un largo período de mantener un bajo perfil se había decidido a tratar de cumplir el rol que De Gaulle desempeñaba para los franceses, aunque nunca consiguió ese objetivo. Los dos representantes de la Argentina eran Torcuato Di Tella y Alberto Pecorini, quienes viajaron a fines de abril. El Departamento de Estado apoyaba de diversas maneras la iniciativa, que además contó con una muy ostensible bienvenida del Ministro de Relaciones Exteriores del Uruguay, Guani, de quien se esperaba otorgara un pasaporte especial a los italianos antifascistas que no tenían sus papeles en regla. De los Estados Unidos venía el sindicalista del vestido, Serafino Romualdi, y el periodista Max Ascoli, quienes desde entonces se hicieron muy amigos de Di Tella, especialmente el segundo. El embajador italiano, en un informe especial, comunica a sus superiores que "ha conseguido que el conocido periódico antifascista local 'Italia del Popolo' ataque al Congreso y a sus promotores, agravando la escisión ya existente en el campo antifascista".

El divisionismo siguió proliferando, con la formación de grupos más de izquierda, como la Alleanza Garibaldi, de Albano Corneli, que condenaban la posición anticomunista tomada por el Congreso de Montevideo. Después de realizado ese Congreso Di Tella acompañó a Sforza a Buenos Aires, donde lo vinculó con el ambiente político e intelectual de la ciudad. Según siempre decía, fueron esos "los días más felices de su vida", cuando quizás entrevió, consolidada ya su posición económica, la posibilidad de dedicarse más intensamente a la actividad política y cultural.

---

(1). Carta reproducida en Cochran y Reina, pp. 321-322.

(2). Reproducido en Cochran y Reina, pp. 141-143.

CAPITULO VIII

POLITICA Y SOCIEDAD DURANTE LOS AÑOS TREINTA: PLANIFICACION Y LEGISLACION DEL TRABAJO

El gobierno de Justo, y la incubación de nuevas líneas ideológicas

Durante los años treinta hubo un auge, a escala mundial, de proyectos de planificación nacional, sea en contextos democráticos como totalitarios. La Argentina no fue ajena a esa experiencia, a pesar de la influencia conservadora en el gobierno del Gral. Agustín P. Justo (1932-1938). Es que las presiones de la economía demandaban soluciones pragmáticas, y para implementarlas el presidente utilizó a los Socialistas Independientes, que, aunque ya algo apartados de sus ideas originales, mantenían — especialmente Antonio De Tomaso — su confianza en la capacidad del Estado para enfrentar los peores aspectos de las crisis capitalistas.

Leopoldo Melo, candidato presidencial antiyrigoyenista en 1928, estuvo al frente del Ministerio del Interior. Carlos Saavedra Lamas, reconocido internacionalista, tuvo a su cargo la Cancillería. En cuanto a lo que puede llamarse el "equipo económico", él fue confiado, tras algunos cambios, a la dupla Pinedo-De Tomaso, el primero en Hacienda y el segundo en Agricultura, que incluía Industria.

La guerra entre Paraguay y Bolivia por el Chaco Boreal (1932-1935) mereció, por supuesto, una estrecha atención de la Argentina. Saavedra Lamas estuvo muy activo tratando de llegar a una pacificación, que consiguió después de ingentes pérdidas de vidas por ambos lados, y que le valió el Premio Nobel de la Paz. En el frente interno, Justo tuvo que sortear varios intentos subversivos de los Radicales, basados en los militares amigos o afiliados, como el Teniente Coronel Atilio Cattáneo, que se descubrieron entre 1932 y 1933. La tortura, cuyo uso sistemático comenzó bajo Uriburu, continuó usándose para enfrentar a los menos manejables opositores políticos y sindicales.

De todos modos, se estaba dando una distensión. Alvear, luego de años de exilio, retornó al seno de la UCR, de la cual estrictamente hablando nunca se había alejado, aunque sus partidarios habían formado la UCR Antipersonalista. Por su influencia, desde 1935 el partido decidió abandonar su abstencionismo revolucionario, y todo estaba preparado para una candidatura presidencial del mismo Alvear en 1938.

Los grupos más militantes y anticonservadores de la UCR se nucleaban en torno a Amadeo Sabattini, de Córdoba, que cultivaba un aire de misterio e inaccesibilidad, como los de Yrigoyen, muerto en 1933. En el ambiente intelectual, se formó en 1935 la Fuerza de Orientación Radical de la Juventud Argentina (FORJA), con figuras como Arturo Jauretche, Gabriel del Mazo y Luis Dellepiane. A ellos más tarde se les acercaría Raúl Scalabrini Ortiz. Entre algunos de estos ideólogos comenzaron a difundirse innovadoras tácticas de alianza con grupos nacionalistas, que coincidían en la prédica antiimperialista.

Entre los nacionalistas surgieron dos destacadas figuras opositoras: un civil, Juan P. Ramos, y un militar, Juan Bautista Molina. Ramos, con su paramilitar Alianza de la Juventud Nacionalista, asumía públicamente el rol de "Jefe" del nacionalismo argentino, un conjunto cuyos bordes nunca estaban bien definidos, algo así como un movimiento en vez de un partido.

El Cnel. Juan B. Molina volvió de Alemania en 1936 muy favorablemente impactado por lo que interpretaba como el resurgir de ese país bajo una dirección dinámica, que excluía los divisionismos internos y lo capacitaba para emprender tareas nacionales. Como tantos otros viajeros anteriores a él, de las más diversas concepciones, quería reproducir en el Río de la Plata lo que había entrevisto allá. Para eso complotó incansablemente, participando, ya apenas llegado al país, en un movimiento que incluía a Diego Luis Molinari, convencido yrigoyenista que luego evolucionaría hacia el peronismo. El plan, como era de esperarse, se proponía implementar medidas antiimperialistas con un severo control de la economía y una organización representativa corporativista. La mezcla no debe sorprender, teniendo en cuenta otras semejantes coincidencias en países como Brasil, Bolivia y Paraguay.[1]

Los planes golpistas dirigidos por Juan Bautista Molina, combinando elementos ideológicos tomados de la derecha y la izquierda, se sucedían unos a otros, a pesar de lo cual el Presidente Justo no se decidió a alejar al militar de sus posiciones oficiales, quizás por temor a convertirlo en víctima, que siempre podía contar con un significativo apoyo entre los uniformados. Cada vez más los sectores duros de las Fuerzas Armadas proyectaban un gobierno sin límite de tiempo, para evitar los errores en que a su juicio había caído su reverenciado líder, el General Uriburu, ya fallecido.

Ensayos de intervención estatal durante la "década infame"

Pinedo fue el gran organizador de la nueva política económica, que pragmáticamente combinaba elementos del arsenal socialista, o al menos del intervencionismo "keynesiano" — como en el New Deal de Roosevelt — con otros más ortodoxamente liberales. Las concesiones a los intereses extranjeros, y la corrupción que cada tanto afloraba, servían de argumento a los opositores, desde el campo nacionalista hasta el de la Izquierda y de FORJA, para crear una nueva mentalidad, que luego sería muy influyente en el país, y que daría al período el mote de "década infame".

Atrás quedaba la era de la prosperidad indiscutida de la Argentina agropecuaria, ligada exitosamente al mercado internacional y a la división mundial del trabajo. Ese esquema, que había llevado al país a su alto nivel de prosperidad, había sido aceptado muy ampliamente, incluso por la Izquierda, especialmente el sector liderado por Juan B. Justo. Pero también en ambientes anarquistas y de sindicalismo independiente el esquema tradicional no había sido puesto en duda, y especialmente negativa había sido su reacción ante todo posible proteccionismo industrial.

En 1908, Luis Lotito, importante dirigente de la corriente Sindicalista Revolucionaria de la Unión General de Trabajadores, impactado por la miseria que se veía entre los trabajadores de la industria azucarera de esa provincia, podía llegar a exclamar:

> La raquítica industria azucarera, para poder vivir frente a la producción europea, debía hacerlo a costa de sus obreros, apoyada por el proteccionismo y la inconsciencia del productor. ¡Cuánto mejor hubiera sido que la competencia europea la aplastara, aun cuando se hubiese perdido esa producción nacional, que sólo producía desgracias y seres raquíticos, hijos de una miserable condición económica! Pero no, en nombre de la producción nacional se sostenía esa fuente de riquezas para unos cuantos, y miserias y degeneraciones para la enorme mayoría.[2]

Ahora ya las nuevas condiciones internacionales estaban amenazando con convertir a todo el país en un Tucumán de desocupados, proteccionismo o no proteccionismo. Había que tomar medidas defensivas, de cualquier tipo, y ya la teoría económica vendría a dar las explicaciones, como de hecho estaba haciendo.

El equipo formado por Pinedo y De Tomaso, para evitar las oscilaciones bruscas de precios, fundó la Junta Nacional de Carnes, y otras para diversos tipos de producción agraria. Se garantizaba un precio mínimo al productor, y se mantenían reservas, como había aconsejado José al Faraón, para usarlas en momento más oportuno. También se instalaron nuevos frigoríficos independientes de los grandes consorcios internacionales, para lo cual se estableció la Corporación de Productores de Carnes (CAP).

Se construyeron elevadores de granos, caminos pavimentados para competir con los ferrocarriles, y de paso crear demanda para los camiones de fabricación norteamericana. Se estableció el impuesto a la renta — provisorio, se entiende — para compensar las disminuidas entradas aduaneras, debidas a la contracción del comercio. Para ordenar el sistema bancario, muy afectado por las quiebras y los mal calculados préstamos, se fundó, con asesoramiento inglés, el Banco Central.

El mismo Imperio Británico se volvía proteccionista, con su Conferencia de Ottawa (1932), donde se había convenido en poner una barrera arancelaria alrededor de todos sus países miembros. Esto era mortífero para la Argentina, que ya no podría entrar con sus carnes y sus trigos en ese tradicional mercado. La respuesta pragmática del equipo gobernante fue enviar al vicepresidente Julio A. Roca (h) a Londres, quien consiguió firmar un convenio por el cual la Argentina podría seguir enviando sus mejores carnes, a cambio de permitir entrada privilegiada a los productos industriales ingleses, que en general tenían dificultades para competir con los norteamericanos.

La crítica nacionalista ha considerado este llamado "Pacto Roca-Runciman" como el paradigma de la "entrega" económica, aunque de hecho las alternativas no eran tantas, dadas las condiciones de la época.

Durante los años treinta tuvo un gran desarrollo la industria textil. Esta tenía una gran concentración de fábricas en la zona de Valentín Alsina, en Avellaneda, y algunos otros centros, como el de Bernal. Ahí la Unión Obrera Textil, dirigida por los Socialistas hasta 1939, pudo organizar al personal, con apoyo del Departamento Provincial del Trabajo, dirigido por Armando J. Spinelli, durante el gobierno de Manuel Fresco. Otros dirigentes sindicales también se veían impelidos a entenderse con ese extraño político que era Fresco, quien a pesar de sus prácticas fraudulentas tenía preocupaciones sociales.

Fabricaciones Militares, bajo la dirección del Coronel Manuel Savio, impulsó la siderurgia, con sus Altos Hornos de

Zapla (Jujuy), y la Fábrica Militar de Aceros del Gran Buenos Aires. En el sector privado, la empresa Acíndar, dirigida por el Ing. Arturo Acevedo, instaló una elaboración de chapas de acero, y la SIAM, durante la guerra, también instaló Hornos Siemens para la elaboración de acero a partir de hierro viejo y arrabio.

La carrera armamentista mundial, y la crisis que su terminación puede producir (1939)

En 1939 Di Tella fue designado representante patronal a la asamblea de la Organización Internacional del Trabajo, a realizarse a mediados de año en Ginebra. Aprovechó la oportunidad para realizar un largo viaje, con su familia, a los Estados Unidos y Europa, quizás para mostrarles cómo era la civilización antes de ser destruida por la previsible guerra. Su presencia en Ginebra tuvo muy activos a los servicios de información italianos, que se preparaban para evitar cualquier maldad planeada por este elemento peligroso, que quizás pensaba entrar en el reino protegido por su ciudadanía argentina. En los puestos de frontera figuraba en la lista "da fermare e perquisire", aunque pronto esto fue cambiado por "da segnare e vigilare", por recomendación del embajador en Buenos Aires, que argumentaba que el sujeto "era incapaz de actos terroristas, y en estos últimos tiempos ha mantenido un reservado comportamiento político". Además era mejor no antagonizar a la opinión pública de la joven república.

En el discurso pronunciado en la Conferencia Di Tella se refirió a temas que luego, con la guerra, adquirirían aún mayor inmediatez. Se mostraba preocupado por los efectos económicos que podría tener una suspensión de la carrera armamentista, pues entonces

la redistribución de las actividades productivas de los millares de fábricas y millones de obreros que se ocupan hoy día en la fabricación de artículos de carácter militar, provocará inevitablemente una crisis. No sería imposible que en aquellos momentos cada uno de los países, con la esperanza de preservar su economía, intentara damnificar las industrias de otros países recurriendo a un "dumping" y multiplicando así las causas de desorden. Esto constituye un peligro particularmente grave para países que, como la Argentina, tienen aún una industria joven que no ha tenido tiempo de acumular reservas y cuya capacidad de resistencia es débil.

También le preocupaba, en el mismo texto, la previsible incrementación de la emigración europea, ante la desocupación ocasionada por esa previsible crisis, de manera que sería necesario pensar en planificar los caudales que pudieran llegar a países de ultramar, tanto cuantitativa como cualitativamente.

Estando en Europa, Di Tella no pudo resistir a la tentación de ver de cerca cómo era la vida en Alemania y en la Unión Soviética, aunque fuera en un viaje de observación de sólo unas pocas semanas. Consiguió, con sus usuales influencias, las visas, y emprendió viaje, en mayo, con su atribulada mujer, dejando a los hijos en una escuela de Suiza, encargando a un funcionario de la embajada argentina que se ocupara de ellos si algo pasaba. El joven funcionario, Luis María de Pablo Pardo, estaba excelentemente elegido, dadas sus conocidas preferencias políticas, para cumplir sus funciones protectoras por si ese "algo" ocurría.

Contra los consejos de todos sus amigos Di Tella opinaba que no había riesgo de que estallara la guerra "mientras no estuviera recogido el trigo", lo que daba tiempo hasta agosto. Volvió con muchas fotos, sacadas por su mujer (que no incluían, al sólito, ninguna de él mismo, salvo las tomadas a escondidas y de improviso), y empezó a escribir algunos comentarios, sobre todo de la experiencia en la URSS, que nunca se publicaron.

Al final, tomó el último barco que salió de Londres antes de la guerra, y llegó a Buenos Aires el día previo a la declaración de hostilidades, con todas las ventanas pintadas de negro; en los siguientes viajes ya los pasajeros dormían en los botes salvavidas. La sensación de alivio fue enorme al divisarse las costas del Brasil, pero la protección era aparente, porque había unos cuantos submarinos que sólo esperaban la declaración formal de guerra para entrar en acción. El verdadero desahogo vino recién al amarrar en el puerto de Buenos Aires. Era llegar a la civilización.

Estado de Bienestar Social y protección industrial

Desde su participación en la Conferencia de la OIT Di Tella comenzó a actuar más intensamente en esferas empresarias y publicísticas, procurando crear ambiente para una política de protección a la industria y de seguridad social para su personal. En una alocución pronunciada en el Instituto Popular de Conferencias del diario La Prensa decía:

> ¿Qué haremos con esta industria argentina después de la guerra? ¡Cuántos ataques deberá soportar! Ataques internos, de parte de intereses antagónicos; ataques externos, más peligrosos aún, porque las fábricas de allende los mares querrán seguir produciendo con el mismo ritmo artículos de paz.

> Aquí está el corazón de la doctrina clásica: el liberalismo es el mejor sistema mundial de un mundo de paz, es decir, en equilibrio. Empero, para alcanzar un equilibrio durable, es preciso, además de esa paz mundial, tan difícil de lograr, que cada elemento integrante de ese vasto mecanismo económico posea, o pueda adquirir, un desarrollo óptimo, sin cuyo requisito dicha economía local se vería injustamente sacrificada en ese equilibrio mundial. Se habla mucho de las ventajas artificiales de algunas industrias: sin embargo no hay en ese sentido nada más artificial que la ventaja de tiempo que algunos países han conseguido relativamente a otros. [3]

Lo grave, a su juicio, era que la ganadería o la agricultura no podían ya absorber las "150.000 almas por año" en que consistía el crecimiento vegetativo de la población. Reflejaba en estas líneas el temor, compartido con diferentes motivaciones por grupos de industriales, militares y pensadores nacionalistas y socialcristianos, acerca de las consecuencias de la posguerra para la sociedad argentina.

Los más agoreros preveían, para después del conflicto, una repetición de las convulsiones sociales que habían asolado a

Europa al término de la primera guerra. A ello se añadiría el ingreso al país de desocupados y excombatientes, acostumbrados a recurrir a la violencia. Una indiscriminada apertura de la economía argentina traería aparejada la quiebra de innumerables establecimientos industriales, con la consiguiente agitación social. Las precondiciones para ésta ya se estaban creando, por la continuada cerrazón política del régimen del presidente Ramón Castillo, y la formación de una versión vernácula del Frente Popular, que se estaba gestando entre radicales, demoprogresistas, socialistas y comunistas, con la participación de una CGT politizada y movilizada.

Uno de los ambientes en que actuó en aquella época fue el Colegio Libre de Estudios Superiores, frecuentado por una intelectualidad de centroizquierda, entre la cual descollaba su presidente, Luis Reissig, que al decir de Gilli era inclasificable políticamente, pues "tenía en sus anaqueles las obras completas de Lenin y las de Santo Tomás de Aquino". También estaban el experto en temas laborales Daniel Antokoletz, el economista filosoviético Ricardo Ortiz, y jóvenes esperanzas como Arturo y Rizieri Frondizi, Gino Germani y José Luis Romero. Este último llegó a intimar bastante con Di Tella, y siempre comentaba los "presagios" de éste de que algo iba a pasar en el país con esa masa de obreros que se estaba acumulando en la periferia de las grandes ciudades, difíciles de integrar en el existente sistema de partidos, y que él conocía bastante bien porque ya para aquel entonces empleaba a unos cuantos miles.

Justamente en esos años hizo hacer una encuesta entre su personal, para determinar sus condiciones de vida. De ella emergió que un 27% de los obreros tenía casa propia, y otro 20% alquilaba una casa completa, aunque la otra mitad apenas alquilaba una pieza. Por otra parte, existía una gran movilidad en la mano de obra, reflejada en el hecho de que el 58% tenía una antigüedad de menos de un año. Muchos de los miembros de esta población flotante deben haber sido los solteros, que formaban el 46% del total empleado. En cuanto a nacionalidad, la mayoría eran extranjeros (29% italianos), con un 43% de argentinos. El 38% vivía en el mismo barrio de Villa Castellino donde estaba instalada la fábrica, mientras que otro 20% residía en diversos lugares de Avellaneda, y un 26% en "Buenos Aires" (suponemos se trata de la Capital, porque hay un 18% que figura en los rubros "Ferrocarril Sud, Oeste, y Central Argentino").

En una conferencia dictada en el Colegio Libre de Estudios Superiores en octubre de 1941 decía:

> El desarrollo de la industria crea infinidad de problemas sociales y económicos que es necesario abordar con el objeto de encontrarles solución. Puede afirmarse que la idea del Seguro Social ha nacido en todos los países a consecuencia del desarrollo de la gran industria. No podría escapar nuestro país a esta regla y, por esto es que hoy cuando la gran industria argentina es algo más que una promesa, se agita y se discute el problema del Seguro Social.

Había hablado ya en favor de la seguridad social en el curso del Primer Congreso de Medicina Industrial en 1939, donde había señalado que la legislación en favor del obrero y su protección no había tenido un adelanto acorde con el desarrollo y la prosperidad industriales. Colaboró también en la Revista de Economía Argentina, dirigida por Alejandro Bunge, promotor de la industrialización del país, de ideología nacionalista católica. En un artículo publicado ahí Di Tella comentaba el nivel relativamente alto de vida del obrero argentino, comparándolo con otros países europeos, aunque "si se investigara el costo del alojamiento, nuestra posición en la escala descendería, pero dicha investigación es difícil de hacer, pues no hay que considerar sólo qué parte de su salario gasta el obrero, sino qué clase de alojamiento consigue por ese precio. Proporcionar al obrero alojamiento sano y en condiciones razonables deberá ser la gran obra de los próximos 25 años". Más adelante informaba que, según una estadística que había realizado en su empresa, "el 25% de los obreros tenía casa propia, a menudo muy modesta, construidas muchas de ellas con chapas de zinc, pero que dan a sus propietarios un sentido de independencia por el que efectúan grandes sacrificios".

En otra nota aparecida en la misma revista en el año 1942, titulada "La Seguridad Industrial en la Argentina", buscaba crear una conciencia pública en materia de accidentes de trabajo, propendiendo a la "educación integral del obrero desde la escuela primaria, inculcando los hábitos de atención, orden y disciplina, tan necesarios para cumplir acertadamente con las disposiciones y reglamentos de seguridad". La prevención de accidentes era sólo una parte de una más amplia política de seguridad social, que había que introducir, siguiendo los lineamientos de lo que ya se planeaba en los Estados Unidos e Inglaterra durante la guerra, especialmente en el bien conocido Plan Beveridge, que fue la base de la acción del gobierno laborista de posguerra.

Proponía Di Tella en ese trabajo "un subsidio familiar por cada hijo, acompañado del de maternidad, comedores escolares, un aumento de la compensación de retiro por cada hijo educado, y manutención para los huérfanos. Todo el plan debe tender a un beneficio armonioso para la familia entera". Trató de que estos proyectos se transformaran en leyes, presentadas a través de diputados amigos, y para eso publicó en 1942 *Dos temas de Legislación del Trabajo: Proyectos de Ley de Seguro Social Obrero y Asignaciones Familiares*, en cuya introducción afirmaba que "el seguro social es uno de los más eficaces factores para la promoción y mantenimiento del bienestar de los individuos y para lograr la estabilidad moral y económica de la familia obrera". Respecto a la forma de conseguir los recursos necesarios, se manifestaba contrario a los aportes estatales:

> Algunos se sorprenderán que no pidamos ninguna contribución al Estado, en el régimen ordinario, contrariamente a lo que pasa en casi todos los sistemas europeos de pensiones obreras, y recientemente el norteamericano. Somos enemigos de hacer pagar al Estado algo que beneficie a un sector de la población, porque esto no es más que agravar con impuestos a todos los habitantes del país, para beneficiar sólo a una parte de los mismos. El seguro de los obreros lo deben pagar sólo estos y los patrones, las partes inmediatamente interesadas. No debe implantarse un seguro para vejez, invalidez y muerte sin incluir el seguro de enfermedad. El cuidado de la salud física de la población durante el tiempo que trabaja es una necesidad de naturaleza imprescindible. Después de

muchas consideraciones y rectificando opiniones que tuvimos en otra oportunidad, si nos pusieran en el trance de elegir, adoptaríamos preferentemenete un seguro de enfermedad que uno de vejez.

El sistema, aplicable a todos los obreros de fábricas establecidas en la Capital Federal, los territorios nacionales y aquellas provincias que adhirieran, y cuyo capital se integraría por un aporte de los propios trabajadores consistente en un 3% de sus salarios y otro 4% patronal, preveía un seguro de maternidad, enfermedad, de accidentes y de vejez para aquellos que durante cuarenta años hubieran pagado sus cuotas o que cumplieran 65 años para los varones (para las mujeres el régimen se aplicaría a los treinta años de aportes o 55 de edad). También preveía la sanción de una ley de Asignaciones Familiares, que atribuyera 5$ mensuales por hijo menor de catorce años que residiera con sus padres, que se extendería hasta los dieciocho si ese hijo estudiaba, y que se financiaría con un aporte del 2% de los salarios pagados por los empleadores.

La propuesta fue presentada sin éxito ante el Congreso nacional por la Unión Industrial Argentina, que lo hizo suyo. Tres años después el diario católico El Pueblo (16/1/1944), informando sobre el Plan Beveridge adoptado en Gran Bretaña, hacía referencia al proyecto de Di Tella, que se le parecía, y que no debería caer en el olvido.

La necesaria dosis de intervención del Estado

Para poder introducir las necesarias reformas, se precisaba una intervención del Estado:

El problema creado por la intervención del Estado será más agudo cada día. ¿En qué medida dosificaremos esa intervención? Ciertos remedios estimulan y curan cuando se los administra en pequeñas dosis, pero matan cuando las dosis son grandes. Se acusa a los industriales de que solicitan la intervención del Estado sólo cuando los favorece y la rehuyen cuando no les conviene. Pero a pesar de que [von] Mises afirma que no hay términos medios, hay en realidad una infinidad de sistemas de intervenciones. Hay intervenciones que son debidas sólo al deseo de atenuar las fluctuaciones demasiado bruscas de la economía, y hay intervenciones que quieren cambiar completamente la estructura social; hay intervenciones conservadoras e intervenciones revolucionarias. Hay intervención en la moneda y en el crédito; hay intervención en la fortuna y los ingresos privados y en el empleo de los mismos, y por último tenemos el intervencionismo representado por el Estado empresario que se vuelve fácilmente empresario monopolista. Hay un intervencionismo económico que pretende convivir con el liberalismo político y hay intervencionismos totales que se jactan de dejar al individuo la responsabilidad del riesgo económico, pero lo privan, al mismo tiempo, de la iniciativa que es consubstancial e inseparable de dicho riesgo. Pero, como hemos dicho en un principio, creemos atisbar señales de reacción a este exceso de intervencionismo justamente de parte de los países que más lo han aplicado y que por consiguiente lo conocen mejor. Sin embargo, es indudable que de esta era intervencionista subsistirá un sedimento, un residuo, en los países aún más orgullosamente individualistas.

[1]. Juan B. Molina no debe ser confundido con Ramón Molina, Jefe del Ejército hacia esos años, cuya orientación era opuesta, y tendiente hacia el radicalismo, y que fue apartado por Justo.

[2]. Luis Lotito, "El proletariado tucumano", en La Acción Socialista, nos. 57 a 62, de diciembre 1907 a abril 1908.

[3]. Incluido en *Problemas de la Posguerra. Función Económica y Destino Social de la Industria Argentina,* Buenos Aires, 1943.

CAPITULO IX

DI TELLA Y LA POLITICA ARGENTINA: EN BUSCA DE UNA ESTRATEGIA DE LA INDUSTRIALIZACION

Ya hemos señalado antes la fuerte pasión política que sentía Di Tella, ligada a una temática universal, aunque aplicada sobre todo a Italia, país al cual por mucho tiempo seguía pensando volver algún día. Pero desde mediados de la década de los años treinta su posición económica en la Argentina se hizo suficientemente fuerte como para orientarlo definitivamente hacia este país, cuya ciudadanía adquirió. El problema de su eventual participación en la política local se plantea entonces, tanto en el sentido amplio de acción cultural y de ideas, como en el más específico de la representación estamental y de pertenencia a partidos políticos, o del ejercicio de cargos electivos o de nivel de gabinete.

Para la gran mayoría de los extranjeros la participación política estaba muy retaceada, por su no asunción de la ciudadanía. Es éste un tema que ha sido muy tratado y discutido por los sociólogos e historiadores, sobre todo en lo referente a las causas del bajo porcentaje de nacionalización, que entre nosotros no alcanzó a un 2%, mientras que en los Estados Unidos llegaba al 70%.

Debe señalarse que la proporción de extranjeros en la población total fue, durante los años formativos de 1880 a 1920, mucho más alta en la Argentina que en los Estados Unidos (casi

117

30% contra 15%), y por otra parte estos extranjeros ocupaban una posición más alta en el espacio social, respecto a los nativos, que en el país del Norte. En dos sectores sociales muy estratégicos para el desarrollo político de cualquier país, como son el empresariado comercial e industrial, y la clase obrera urbana, la concentración de extranjeros era abrumadora, llegando a las tres cuartas partes. Esto implica que esas dos clases estaban casi ausentes de la política, o al menos que sus vínculos eran mucho más débiles que lo que hubieran sido en un país de parecido desarrollo pero de más homogénea nacionalidad (como Chile, que nunca tuvo más que un 5% de extranjeros).

Lo grave, según ya lo señalaba Sarmiento en los años ochenta del siglo pasado, era que la burguesía urbana, fuerte económicamente, era muy débil en lo relativo a su participación en el sistema político partidario, lo que creaba una peligrosa incongruencia. No era ése el caso en cambio de la clase propietaria rural, mayoritariamente argentina y vinculada a los partidos conservadores o de tradición roquista, y en menor grado mitrista. El relativo vacío creado por la ausencia electoral de la mayor parte de los comerciantes e industriales no podía menos que dificultar el surgimiento de un partido burgués liberal, como en cambio había en los países europeos, e incluso en Chile. El radicalismo no era el equivalente de ese partido liberal, aunque sus sectores antipersonalistas o acuerdistas, ya existentes desde los años noventa, y dirigidos por Bernardo de Irigoyen, eran lo que más se le parecía. También se hacía difícil la formación de un partido socialdemócrata obrero, aunque el Partido Socialista desde temprano jugó este rol, con mucha menos fuerza que la que le hubiera correspondido si los inmigrantes hubieran podido votar, en cuyo caso quizás se hubiera producido un fenómeno a la australiana.

El país político era mucho más arcaico que el país económico: estaba formado por los estancieros, los militares, los funcionarios públicos, la clase media empobrecida del interior, y la masa de gauchos y orilleros que eran usados por las máquinas electorales de la época. De ahí la tendencia a que en vez de un juego político a la europea o a la chilena, con una alternancia entre conservadores y liberales, a la que luego se pudieran agregar radicales (no personalistas) y socialistas, se planteaba una polaridad entre conservadorismo modernizante y populismo personalista.

Esto, claro está, en el nivel electoral formal. En la realidad del país económico y cultural, existían los grupos de interés que hubieran podido reproducir el fenómeno europeo. Pero ellos no tenían una fácil expresión en el campo de la acción política legítima, y debían concentrarse en la acción asociativa profesional, y aún ahí algo dificultados por su condición de extranjeros. En el ambiente sindical, por ejemplo, muchos de los primeros dirigentes eran inmigrantes, y por eso pudo pensarse en la ley de Residencia como un efectivo factor disuasorio de sus actividades. Lo mismo pasaba con los militantes de la violencia anarquista.

Dentro de este contexto le tocó vivir y actuar a Di Tella, y volcar sus convicciones socialistas, posiblemente adquiridas durante la primera guerra mundial. De su correspondencia con Turati se desprende que estaba también vinculado al partido local, en el cual cultivó la amistad sobre todo de Juan Antonio Solari y Enrique Dickmann. Su grande y casi único amigo íntimo era José Gilli, argentino, condiscípulo en la Facultad de Ingeniería, que luego se orientó hacia la docencia y fue director de la Escuela Industrial Oeste, de Flores.

Gilli decía que había compartido las ideas de Fourier en su juventud, pero luego sustituyó esa utopía por la del fordismo, y se afilió a la Unión Cívica Radical, en la línea yrigoyenista. No consiguió acercar a su amigo a ese partido, aunque en los archivos de la empresa ha quedado algún recibo de una Comisión Cooperadora de Beneficencia de la UCR, circunscripción 13a, por 120 pesos. Se trata de una cuota (de diciembre de 1933 a diciembre de 1934, pagada en agosto de 1934), lo que indica que había un modestísimo aporte renovable, pero no mucho más que eso.

Gilli fue autor entre otros libros de *La fábrica de Marx a Ford*, que le valió durante el primer gobierno de Perón ser acusado de marxista por gente que obviamente no pasó de la tapa. Ocasionalmente actuaba como *ghost writer* de Di Tella, y con él se reunía para discutir temas ideológicos y de economía. En un texto que obviamente preparó para estas reuniones, sin fecha, comenta que "cuando examinamos los problemas constitucionales de la empresa gigante tropezamos inesperadamente con un problema de política pura. ¡Qué desengaño han de experimentar los cómodos apolíticos! ¡Y los que desde sus altas jerarquías industriales denuestan con sus diatribas más envenenadas a los políticos profesionales! Un jerarca industrial es, sin saberlo, también un político".

Durante los inicios de los años treinta Di Tella tuvo que realizar negociaciones con el Concejo Deliberante respecto a la habilitación del mercado en el local donde había estado su taller (Córdoba y Jean Jaurès). Nuevamente, a partir de 1937, reinició las tratativas, esta vez para vender el local a la municipalidad. En este tema seguramente trató de ejercer influencia a través de sus contactos políticos, y su amigo Descalzo debe haberle abierto más de una puerta.

Desde 1933 Di Tella pertenecía a la directiva de la Cámara Metalúrgica de la Unión Industrial Argentina. En 1939 fue designado representante patronal a la conferencia de la Organización Internacional del Trabajo, como fue indicado más arriba. Allá tuvo oportunidad de conocer más directamente a muchos políticos de la época. En París por supuesto se encontró con sus amigos de Giustizia e Libertá, a quienes seguía financiando. Fue a verlos, llevando de la mano a sus dos hijos pequeños, que no comprendían qué hacía su padre en ese destartalado local lleno de sillas, donde él no era la cabeza indiscutida como siempre ocurría en Buenos Aires. Sin duda que no los llevó ahí por casualidad, ni porque su esposa lo dejara a cargo de los chicos, cosa que nunca ocurría.

Pero a la vuelta del viaje se hizo evidente que había que pensar seriamente en qué hacer en su país de adopción, sin por eso dejar de apoyar a sus compatriotas en dificultades. Ya en ese entonces habían pasado las tormentas graves en que casi había zozobrado, y se había convertido en una persona rica, influyente y respetada. La guerra traería algunas complicaciones, pero nada por comparación a lo ocurrido diez años antes.

Lo más complicado, e incluso amenazante, en lo que a su economía personal se refiere, era el futuro. A nivel personal, tomó algunos recaudos, para que la previsible crisis de la posguerra no lo sorprendiera, como la del treinta, con todo metido en la empresa. Compró entonces un campo de más de dos mil hectáreas en Navarro, y otro más grande en Santa Teresa del Arenal, en Salta, a nombre de una sociedad anónima diferente de SIAM. Algunos sociólogos han creído ver en esto una búsqueda de prestigio, para parecerse más a la clase alta estancieril. Sea ello como fuere, el hecho es que la empresa y las actividades políticas y culturales de Di Tella le daban ya suficiente prestigio. Para aumentarlo — y quizás por vocación docente — consiguió en 1944 ser designado profesor adjunto de la materia Organización Industrial, en la Facultad de Ciencias Económicas de la Universidad de Buenos Aires, donde cada tanto daba alguna clase y tomaba exámenes. También entró en el Jockey Club, un buen lugar para mantener contactos necesarios en sus negocios y en su proyectada carrera política.

La adquisición de las dos estancias, aparte de satisfacer sus siempre vivas nostalgias campesinas, tenía un obvio propósito de guardar algo fuera de la contabilidad de la empresa. Por otra parte, también inició en esa época la compra de una muy sólida pinacoteca, con el asesoramiento de Lionello Venturi, crítico de arte y exiliado, a la sazón profesor en Nueva York y Presidente de la Unión Latina por la Democracia y la Libertad, creada en octubre de 1943 en Nueva York, con miembros que iban desde Sforza y Salvemini a Alvarez del Vayo y Jiménez de Asúa.

Aunque en esto gratificaba su gusto por el arte, y sin duda conseguía prestigio, ponía además fuera de toda contabilidad un importante patrimonio. La posguerra no lo iba a agarrar impreparado, como el treinta.

Una gran industria

A fines de 1938 el presidente Ortiz había promulgado un decreto que comenzaría a regir el 1 de enero del año siguiente, por el cual se establecían severas restricciones a las importaciones provenientes de los EEUU, quedando prohibidas muchas categorías de productos. El estallido de la Segunda Guerra Mundial, sobre todo a partir del ingreso en el conflicto de los Estados Unidos, aportaría nuevos elementos y nuevos problemas a la industria, principalmente de orden político, que afectarían su posibilidad de acceder a un fluido suministro de insumos y equipos. Cuando la guerra interrumpió el suministro de productos europeos, el gobierno debió suavizar las restricciones en algunos insumos indispensables de productos norteamericanos.

La convicción de Di Tella de fabricar bajo licencias otorgadas por compañías de primera línea se efectivizó con el contrato firmado con la Pomona Pump en marzo de 1941 para la provisión de piezas para bombas a turbina. La experiencia con Kelvinator había resultado exitosa y la producción había superado las 8.000 unidades en 1940, pero en ese momento, algunos cambios introducidos en la política del proveedor obligaron a que ambas partes de común acuerdo resolvieran rescindir el convenio. En esos momentos la Westinghouse había decidido cerrar su filial en la Argentina y buscar una compañía local a la cual otorgar licencia para montar y distribuir su producción. Un acuerdo con SIAM, el mayor fabricante de heladeras en nuestro país, era un buen negocio.

El acuerdo firmado el 28 de agosto de 1940 fue uno de los principales mojones en la carrera empresaria de Di Tella, ya que no sólo puso la amplia gama de productos eléctricos al alcance de la fabricación en el país, sino que suministró a la empresa asistencia y asesoramiento técnico. Esto obligó a SIAM a transformar una serie de talleres construidos según las necesidades del momento en un sistema planificado y coordinado de producción en masa. Por el convenio, además, SIAM se beneficiaría por el continuado acceso a las novedades tecnológicas desarrolladas por la empresa norteamericana.

Sin embargo, la guerra traería aparejadas una serie de dificultades, no provocadas ahora por los gobiernos argentinos, sino por la difícil relación entre nuestro país y los Estados Unidos en esos años. La problemática relación entre la Argentina y los

EE.UU. deviene de la estrecha relación establecida entre nuestro país y Gran Bretaña y de la política exterior argentina, que en círculos diplomáticos estadounidenses era considerada "europeísta" en contraposición a su proclamado "aislacionismo panamericano" desde fines del siglo pasado hasta los años treinta. Pero por otra parte, las características del desarrollo del país del Norte, en el cual las importaciones representaban un papel secundario en el abastecimiento del mercado interno, y el carácter competitivo de las exportaciones argentinas con su producción agrícola ganadera, impidieron a los Estados Unidos suplantar a Gran Bretaña en su relación con los sectores agropecuarios nacionales.

Esta situación de desconfianza mutua habría de hacer crisis durante la Segunda Guerra Mundial. La política de neutralidad adoptada por la Argentina, siguiendo su tradición y sus objetivos económicos, no podía ser aceptada por la diplomacia estadounidense, tras su ingreso a la contienda bélica, y por lo tanto se interpretó como una posición de apoyo a los países del Eje.

La situación era bien comprendida por el Foreign Office británico, que opinaba que "el gobierno de los Estados Unidos es hostil, no tanto al coronel Perón, como a la Argentina misma, cualquiera sea su gobierno, porque gracias a sus rentables vínculos con Gran Bretaña, puede darse el lujo de perseguir una política comparativamente independiente frente a la dominante influencia de los Estados Unidos en el hemisferio occidental".[1] Los británicos estaban conformes con que el aporte argentino a la conflagración se limitara a abrirles lineas de crédito para abastecerse de alimentos, y desde 1941 en varias oportunidades se opusieron a las sanciones de los norteamericanos. Pero estos últimos, por su parte, querían obligar a la Argentina a seguir su política de cualquier manera, y desde su ingreso en la contienda iniciaron un boicot de la economía argentina que, con intensidad y características variadas, duró desde febrero de 1942 hasta 1949, incluso cuando la Argentina declaró la guerra al Eje, y aún mas allá de la propia conflagración, y que abarcó materiales estratégicos como el acero y los combustibles. Los funcionarios encargados de otorgar licencias de exportación para determinados productos, tenían orden de negar los pedidos argentinos, e incluso se llegó a bloquear las cuentas de los bancos de la Nación y de la Provincia de Buenos Aires.

En julio de 1940 el gobierno de los Estados Unidos promulgó una ley de permisos, o licencias, que permitía al presidente prohibir la exportación de materiales utilizados en la fabricación de municiones. Al cabo de un año, producido ya el ingreso norteamericano en la guerra mundial, la mayoría de los metales y casi todo tipo de máquinas figuraba en esa lista. Debido a ello se necesitaba un representante de SIAM para vigilar los negocios de la compañía en Nueva York, por lo que en febrero de 1942 fue creada la Di Tella Corporation of New York, que tenía a su cargo los tratos con la Dirección de Guerra Económica. Pero en la lista de prioridades del gobierno norteamericano los países neutrales ocupaban el último lugar, por lo que, durante el primer año de contrato, SIAM no consiguió permisos de exportación para piezas de heladeras.

Por otra parte, las empresas instaladas en América Latina de propiedad de ciudadanos oriundos de los países del Eje eran mal vistas, y a veces incluidas en las listas negras. Esto se aplicaba especialmente a las de origen alemán, y selectivamente a las italianas. En un momento se llegó a colocar a SIAM en esas listas, por inadvertencia o mala voluntad de alguien, produciéndole un disgusto mayúsculo a Di Tella, quien tuvo que agotar sus reservas de adrenalina y las de las telefonistas de la sección internacional de la Unión Telefónica, para arreglar la situación con una mezcla de interjecciones y pacientes explicaciones, hasta avanzadas horas de la noche, a toda una larga serie de interlocutores.

De todos modos, ninguna estrategia podía crear un suministro adecuado y regular para la fabricación de heladeras domésticas. Así el volumen de producción disminuyó en forma continua por dos o tres años, y finalmente debió recurrirse a la fabricación de todas las piezas en los talleres de Avellaneda. Si bien el costo fue alto, ya antes de terminada la guerra se había recuperado la producción, realizándose importantes ganancias.

Las restricciones originadas por la guerra fueron la causa de la autosuficiencia de SIAM. Ahora se fabricaban heladeras en

Avellaneda, sin necesidad de importar los compresores, y la firma suministraba al mercado argentino motores eléctricos, transformadores y generadores de gran potencia para la industria nacional.

Para mejorar la organización de la producción se recurrió a los conocimientos y la experiencia de Westinghouse, contratando a un ingeniero industrial norteamericano, A. B. Reynders, quien llegó a Buenos Aires en mayo de 1941. Como consecuencia de su influjo la fábrica aumentó la eficacia de su producción y comenzaron a hacerse evidentes algunos cambios organizacionales combinando la flexibilidad, adaptabilidad y relaciones personalizadas que eran tradicionales en la firma con las medidas recomendadas para lograr una mayor modernización. La necesidad de contar con una mano de obra más calificada llevó a establecer una escuela de aprendices en la fábrica, puesto que no podían venir más de Europa los obreros ya hechos.

La interrupción de los abastecimientos extranjeros acentuó la dependencia de YPF con respecto a los suministros de SIAM. A fin de garantizar la producción necesaria para asegurar los pedidos de la petrolera y los gabinetes de heladeras, SIAM hizo experimentos para la fabricación de acero. La Fábrica Militar de Aceros, vecina al establecimiento de Avellaneda, suministró los planos para la construcción de un horno Siemens-Martin, y entre octubre de 1943 y el fin de la guerra se construyeron tres hornos de ese tipo. Los lingotes de acero obtenidos se trasladaban a la Fábrica Militar y allí se los laminaba para producir las chapas delgadas necesarias.

El Instituto de Estudios y Conferencias Industriales

¿Cómo llevar a cabo un programa en que se pudieran convertir en realidad los proyectos de Di Tella, que combinaban una cierta protección a la industria con una seguridad social amplia para la masa trabajadora? Las iniciativas unilaterales en su propia empresa no bastaban. Ellas se realizaban dentro del

estrecho margen accesible a un empresario que no puede dejar
de mirar los costos, pero que de todos modos le permitió iniciativas motejadas por algunos como "paternalismo", pero que él
veía como experimentos para poder luego afirmar, en proyectos
públicos presentados al Congreso, que no se trataba de sueños
irrealistas. Así era apreciado en los más diversos sectores de la
opinión pública, tanto en la izquierda política como en el sindicalismo, que lo diferenciaban de los empresarios social católicos que a veces se encaminaban por parecidos caminos en sus
propias empresas.

Era necesario, de todos modos, trascender del marco de acción en la propia empresa a ambientes más amplios, superando
además los cenáculos con amigos exiliados italianos, o las campañas de Italia Libre. Era la gran oportunidad para poner en
práctica sus ideas, expresadas en cartas a Turati, acerca de esti-
mular la dialéctica de los intereses, para transformar el plomo
de las motivaciones económicas empresariales en el oro de una
polis bien ordenada.

La idea emergió en cabildeos con Gilli, durante el trágico
año de 1941, en que a las malas noticias de Europa se sumaban
otras menos trágicas pero no por ello menos preocupantes, en
el plano político nacional, con el presidente Roberto Ortiz puesto fuera de juego por la enfermedad. Ramón Castillo, que lo
reemplazó, estaba dispuesto a gobernar con estado de sitio, cerrar el Concejo Deliberante (el 10 de octubre de 1941), y quizás
hacer lo mismo con el Congreso.

Había que combinar dos objetivos: promover una política
de protección industrial, y además asegurar el respeto al régimen democrático por parte de las fuerzas que tenían peso en el
país: los empresarios, los militares, y la elite política del partido
dominante, enraizada en los sectores terratenientes. Además había que mantener un ojo en los partidos que estaban formando
un Frente Popular, bajo el nombre de Unión Democrática, porque aunque ellos favorecían la democracia, no estaban tan convencidos acerca del proteccionismo.

Claro está que por más combinatoria que se aplicara, no se
podía juntar a todos los sectores del espectro político en un solo

haz. Había que elegir, y sobre todo ser realistas acerca de cuáles eran las fuerzas con que más directamente se podía contar. Lo más directo era la comunidad empresarial, y ella se reflejaba de manera no demasiado adecuada, pero tolerable, en la Unión Industrial Argentina (UIA), presidida por Luis Colombo, funcionario de la empresa vitivinícola Tomba, y ligado también a grupos financieros. Fue así como Di Tella y Gilli tuvieron la idea de formar una especie de Foro en esa institución, abierto al resto de la sociedad argentina. Algo parecido a lo que hacía el diario La Prensa, con su Instituto Popular de Conferencias, nombre algo pomposo que se le daba a la serie de charlas ofrecidas en su sede, a las que el diario otorgaba una generosa cobertura.

Consiguieron que Colombo aprobara la formación de un Instituto de Estudios y Conferencias Industriales, que organizaría como mínimo una serie de exposiciones, cada mes, dadas en su sede, e inmediatamente convertidas en folletos, para su mejor difusión, aparte otras más numerosas por radio. Además, si se dispusiera de fondos suficientes, se podría encarar, a veces, algunos estudios de mayor envergadura. Gilli sería el Director de esta institución, seguramente rentado, para poder dedicarse seriamente a su tarea.

¿Pero con qué otra gente contar? Había que empezar con individuos inobjetables, que dieran una pátina de respetabilidad al proyecto. Para Presidente nada mejor que nuestro único premio Nobel (de la Paz, por su rol en terminar la guerra del Chaco, 1932-35), Carlos Saavedra Lamas, un potencial émulo de Roque Sáenz Peña, que siempre estaba en reserva como candidato presidencial "presentable" de una corriente del dominante partido Demócrata Nacional, y que además era Rector de la Universidad de Buenos Aires.

Por otra parte, dos economistas, un poco discutibles por diversos motivos, pero necesarios: Alejandro Bunge, venerable por su prédica industrialista a pesar de sus preferencias falangistas, y — para compensarlo y protegerse de las críticas de la izquierda — Ricardo Ortiz, más moderno en sus planteos, cuyas simpatías por el régimen soviético no eran demasiado graves en los años de la alianza bélica antifascista.

Bunge, ya desde 1909, había propuesto una "Unión Aduanera del Sud", englobando a la Argentina, Chile, Bolivia, Paraguay y Uruguay. Esto implicaba una tarifa aduanera común, igual en un comienzo a la más alta existente, y la total eliminación de restricciones al comercio entre estos países. Un proyecto semejante fue planteado años después, en Chile, por Eliodoro Yáñez y otros, en combinación con el mismo Bunge, y en 1929 el ministro de Hacienda de Chile le pidió al economista argentino que actualizara la información sobre la capacidad productiva del conjunto, al que podría unirse Brasil en una segunda etapa. La idea de agrandar el espacio económico propio de los países de América del Sud quedaba lanzada, aunque no tuvo por el momento repercusión a nivel gubernamental.

El plan de Unión Aduanera, como lo planteaba Bunge, implicaba extender el máximo proteccionismo existente a todos los países del área a integrar, y estaba claramente orientado a promover la actividad manufacturera. Existía, sin embargo, un importante sector de políticos y economistas que era menos favorable a la industrialización. No necesariamente porque estuviera en contra de que ella ocurriera, sino que rechazaban los medios casi siempre necesarios para dar pasos importantes en ese sentido, o sea el proteccionismo, que al encarecer la entrada de mercaderías extranjeras facilitaba su producción local, pero aumentaba el costo de vida.

Otros técnicos incluidos en el elenco directivo (llamado Comisión de Honor) fueron: el Ing. Juan L. Albertoni; el contador Santiago B. Zaccheo, con una trayectoria de funcionario público, ex vicerrector de la Universidad de Buenos Aires, alto funcionario en tiempos de Yrigoyen y miembro del directorio de YPF bajo Justo y Ortiz; Eduardo Latzina, estadístico, hijo del más conocido Francisco (director del Censo de 1914); Ricardo J. Gutiérrez, profesor de Economía y Organización Industrial en la facultad de Economía de Buenos Aires, en cuya cátedra sería más adelante nombrado profesor adjunto Di Tella, por un concurso sustanciado en 1944; Martiniano I eguizamón Pondal, químico, dedicado a temas de economía · profesor en esa facultad.

Para completar la representación universitaria y académica fueron incluidos: Agustín Mercau, presidente de la Academia de Ciencias Exactas; Enrique Herrero Ducloux, profesor de química de La Plata; Julio R. Castiñeiras, decano de Ciencias Físicomatemáticas de La Plata; Alfredo de Labougle y Luis Ygartúa, decanos respectivamente de Ciencias Económicas y Ciencias Exactas de Buenos Aires; Edmundo Correas, rector de la Universidad de Cuyo, ex diputado provincial del partido Demócrata Nacional; Rodolfo Martínez, rector de la Universidad de Córdoba, conservador ligado a intereses azucareros; Rafael Bielsa, destacado jurista especializado en el estudio de temas contractuales del trabajo, decano de Ciencias Económicas de Rosario, que fuera subsecretario de Educación bajo Alvear (1922-23). Finalmente, José Padilla, también azucarero de Tucumán, que fuera ministro de Agricultura (o sea, de Industria) bajo el presidente Ortiz. Más tarde se incorporarían Horacio Rivarola, cuando fuera designado rector de la Universidad de Buenos Aires; Enrique Urien, presidente de la Academia de Ciencias Económicas; Ernesto Herbín, ligado al grupo Philips y nombrado en 1944 Presidente del Banco de Crédito Industrial; Josué Gollán, rector de la Universidad del Litoral, y Jorge Magnin, profesor en la Universidad.

Respecto a personalidades políticas, había que llegar hasta los radicales; más a la izquierda era difícil ir, al fin y al cabo se trataba de una institución empresaria, y bastante se había hecho con incluirlo a Ortiz. Entre los radicales, los más cercanos a proyectos consensuales de este tipo eran los antipersonalistas. Estos fueron incluidos, tanto en la lista de miembros del Consejo como entre los conferencistas. Leopoldo Melo, profesor en la Universidad, quien había sido candidato presidencial antiyirigoyenista en 1928, fue de los primeros en ser invitados a dar una charla, y en 1943 se incorporó a la Comisión de Honor. Quizás se debió pensar en un Sabattini, pero éste emulaba a Yrigoyen en cuanto a inaccesibilidad, de manera que era difícil contar con él, a pesar de lo que deben haber sido los deseos de Gilli. La línea general, de todos modos, era predominantemente concordancista, quizás encuadrada en un intento de reflotar el programa de Roberto Ortiz.

Tampoco era factible olvidarse de los militares: el mundo estaba en guerra, la Argentina posiblemente pronto entraría en ella aunque no enviara tropas, y además el ejército era decididamente industrialista. Enrique Mosconi hubiera sido la figura lógica para incluir, pero había fallecido en 1940. Su reemplazante fue el más neutro Coronel Manuel Savio, en ese entonces Director General de Fabricaciones Militares, que había desarrollado amistad con Di Tella y que dio una de las primeras conferencias sobre "Política Metalúrgica", en la que pronosticaba el "caos económico", que seguramente seguiría a la finalización de la guerra si no se hacía algo para prevenirlo; a partir de 1945 se lo incorporó a la Comisión. Desde el comienzo se echó mano del Gral. José M. Sarobe y del Contraalmirante Pedro J. Casal, dos de los más encumbrados hombres de armas del momento. Sarobe, en su conferencia, expresó una actitud ampliamente compartida al decir que era "necesario conquistar una cierta autonomía económica para conservar la independencia política", aunque agregando, de manera algo desmesurada, que ante la formación posiblemente permanente de cuatro grandes bloques (con Ucrania incorporada al "Nuevo Orden" o sea a Alemania) la Argentina podría llegar a dirigir un quinto bloque mundial.

En la Comisión Directiva de la UIA no deja de ser significativo que figuraran Miguel Miranda, metalúrgico algo liviano pero interesado en los problemas macroeconómicos, que llegaría a ser el zar de la economía bajo la primera presidencia de Perón; Rolando Lagomarsino, textil, que también desempeñaría funciones como Secretario de Industria y Comercio en esa presidencia; y Ernesto L. Herbin, designado Presidente del Banco de Crédito Industrial en 1944 y dirigente del sector "colaboracionista" de la UIA en la elección interna de abril de 1946.

Las conferencias se desarrollaron durante cinco años, desde inicios de 1942 hasta mediados de 1946, realizándose algunos ciclos por radio, para alcanzar a un público mayor.

El año 1945 fue de menor actividad, con sólo tres conferencias dadas en la sede, y ningún militar invitado, quizás reflejando el alejamiento entre la UIA y el gobierno. Durante ese año las conferencias se dieron principalmente por radio, y a cargo de técnicos y empresarios. En 1946 las actividades se iniciaron tarde, y en junio se pensaba invitar a los embajadores del Brasil y de Bolivia, y a algún industrial relevante, para iniciar las conferencias. En ese momento el presidente del Instituto era el Dr. Alfredo Labougle y el secretario, el Ing. Ricardo M. Ortiz.

La importante participación de militares en esas conferencias permite hablar de una convergencia industrial-militar, algo parecido a lo que décadas más tarde, y con otro contexto político, ocurrió con la creación del Instituto de Desarrollo de Empresarios de la Argentina (IDEA). De las 18 conferencias que se dieron en el salón de la UIA, 6 estuvieron a cargo de militares, concentradas en los años 1942-44. ¿Sería posible transformar también este plomo en oro? Sin duda que Di Tella así lo creía, aunque esta vez la apuesta era fuerte, más bien riesgosa.

Un análisis de lo que se decía en esas conferencias refleja las preocupaciones de la época. El tono está dado por las expresiones del Coronel Carlos J. Martínez, Director de la Fábrica Nacional de Aceros, quien alertaba acerca de la necesidad de prepararse para la guerra, lo que exigía una producción industrial diversificada. El tema de la posible desocupación producida al terminarse el conflicto era muy prominente, y se lo encuentra en numerosas participaciones en ese foro, así como en la prensa en general. Aún el normalmente muy medido Leopoldo Melo creía, según se desprende de su exposición en el Instituto de la UIA, que la posguerra podría "hacer más víctimas que la guerra misma", lo que era mucho decir. Poco antes, Raúl Lamuraglia, presidente de la Cámara Industrial de la Seda, declaraba a El Cronista Comercial (2/9/1941), con motivo de la celebración del Día de la Industria, que en la Argentina nunca se había apoyado a la actividad manufacturera, a diferencia de los países que habían participado del primer conflicto mundial, porque para estos últimos había sido necesario "solucionar el problema del 'retorno del frente', y en otros países el de continuar con las industrias desarrolladas al amparo de la situación creada en Europa".

En el mismo número del Cronista, José Muro de Nadal, presidente de la Unión de Fabricantes de la Industria Automotriz, afiliada a la Unión Industrial Argentina, brega por la sanción de una ley sobre draw-back (devolución de impuestos aduaneros para materias que luego se reexportan) y anti-dumping, y en el mismo sentido se expresa el editorial del diario, La industria y el Estado.

El diario nacionalista La Fronda se sumaba a la celebración de la fecha con un amplio reportaje a varias empresas, incluida SIAM. El editorialista se congratula de que el país esté "en un momento en que su desarrollo industrial parece próximo a experimentar una ampliación considerable", esperando que él sea "inteligentemente orientado por el gobierno, para hacer realidad la patriótica esperanza de que algún día la Nación se baste a sí misma". En una obra colectiva editada por el Instituto Bunge, basada en artículos publicados en el diario católico El Pueblo entre junio de 1943 y diciembre de 1944, se expresaba el temor ante los "ejércitos de desocupados" que podrían generarse en el país.[2] Todas estas voces de Casandra estaban por cierto interesadas en crear aprehensión sobre lo que podría deparar el futuro, para extraer del gobierno medidas convenientes a la industria local, de manera que seguramente exageraban la gravedad del espectro que rondaba en el futuro cercano. Pero sería demasiado simple por ello ignorar sus genuinas preocupaciones acerca de la desestabilización económica y social que la reconversión a una situación de paz podría acarrear.

En el gobierno conservador de Ramón Castillo había algunos sectores con sensibilidad hacia estos temas, aunque nunca muy comprometidos con los cambios radicales que se necesitaban para atender a las necesidades de una industria que se estaba expandiendo mucho bajo las condiciones de protección artificial impuestas por la guerra. Ya en 1940 Federico Pinedo había intentado aplicar un plan de estímulo — el conocido "Plan Pinedo" — pero no tuvo éxito por no contar el gobierno con mayoría en la Cámara de Diputados. Ahora su reemplazante en el

Ministerio de Hacienda, Carlos Alberto Acevedo, estaba promo-
viendo el crédito industrial, a largo plazo, lo que era visto como
un paso en la dirección necesaria, aunque faltaba todavía la legislación sobre draw-back y sobre todo anti-dumping. Bajo esta
última pantalla, por supuesto, se podía llegar a justificar una
amplia gama de legislación proteccionista, pues era muy elásti-
co lo que se podría entender como dumping.

Las conferencias del Instituto de la UIA, así como muchas
otras expresiones de la época consignadas en órganos especiali-
zados, incluidos los militares, son particularmente interesantes
en recrear el ambiente de ideas previo al golpe de junio de
1943, del cual emergería el peronismo. Sobre todo son dignas
de observación las charlas de los años 1942 y 1943, casi todas
ellas anteriores al surgimiento del Coronel Perón a la prominen-
cia. Se estaba formando un sector de opinión pública que quería cambios en la política económica que había caracterizado al
país hasta el inicio de la guerra. Cierto es que durante los años
treinta el Estado había tomado la iniciativa en planificar la economía. Incluso, a través de Pinedo, amigo de Di Tella — aunque éste no lo había seguido en el Socialismo Independiente —,
se habían hecho algunas tentativas de crear condiciones para
una industrialización que no interfiriera mucho en el sistema
agroexportador, que se preveía iba a regir de nuevo al terminar
el conflicto. Pero las industrias realmente existentes en el país, y
las que se fueron creando al calor de la imposibilidad de traer
productos del exterior, necesitaban dosis más fuertes de protección estatal. Los militares apoyaban, por sus propios motivos,
medidas profundas, pues estaban convencidos de que "hoy día
las guerras las gana el General Industria", que era el encargado
de producir los armamentos, como decía el Teniente de Navío
Horacio J. Gómez, en su conferencia en el Instituto de la UIA.

Di Tella ya había tenido contactos con las fuerzas armadas
durante la guerra del Paraguay (1932-35), en que SIAM produjo
implementos auxiliares bélicos, en parte para el ejército del vecino país, pero también para el propio. Su mujer, al menos, muchos años después, en algunos momentos de crisis íntima, se
quejaba de que durante los primeros años de su matrimonio su
marido llegaba a menudo tarde a casa, y salía mucho "con mili-

tares", con los que tenía que realizar algún tipo de entertain-
ment, que terminaba infaliblemente en el Tabarís.[3]

Ahora, con la Segunda Guerra Mundial, la cosa era mucho
más seria, y se operaba en otro nivel. No podía preverse el tipo
de fenómeno que luego se dio, en el peronismo, aunque, como
lo recordaba luego José Luis Romero, Di Tella era muy insisten-
te en señalar la presencia de esa nueva masa obrera que se acu-
mulaba en los ranchos de la periferia. El tema le preocupaba
suficientemente como para que lo mencionara también en su
correspondencia comercial, especialmente cuando ésta tenía algún implícito tono político. Así, por ejemplo, a medidados de
1941, después de haber concertado con Westinghouse un acuerdo de licencia y asesoramiento técnico, y mientras arreciaba la
campaña contra SIAM por la presencia de Jorge Schmidt en su
directorio, Di Tella le escribía a J.W. White, Vicepresidente de la
compañía norteamericana:

*Veo que su gobierno ha decidido un programa ge-
neral de prioridades y cuotas para toda América Latina. Entiendo que los requisitos de América Latina tienen prioridad respecto a las demandas civiles de los
EEUU y van sólo detrás de las necesidades de la defensa. Si esto es así, es por cierto una buena noticia
porque, mientras la guerra está causando un boom sin
precedentes en los EEUU, justo lo opuesto es cierto en
la Argentina, donde nuestro sistema económico ha de-
pendido tanto de Europa, que nuestro nivel de negocios
ha bajado seriamente. Si los EEUU no nos mandaran
los productos que necesitamos, el resultado sería probablemente un caos, situación que sería aprovechada por
los extremistas. En ese sentido, la Argentina debería
ser observada con mucho más cuidado que otros países
latinoamericanos, cuyos negocios no dependían de Europa en tan grande medida.*

Acá Di Tella está agitando el espantajo "extremista", presu-
miblemente comunista, sea por convicción o para influenciar a
su interlocutor. De todos modos, también repetía estos argu-
mentos en otros ambientes, como los arriba señalados del Cole-

gio Libre de Estudios Superiores, aunque si se extrema la suti-
leza también se podría arguir que deseaba "asustar" a sectores
progresistas moderados para que éstos no se opusieran a una
política de industrialización, pues el extremismo era tan amenazante para ellos como para los empresarios. También podría
preverse, sobre la base de una masa desocupada, un fenómeno fascista, y de hecho ésa es la interpretación que la mayoría
de la intelectualidad le dio al movimiento generado por Juan
Domingo Perón cuando éste tuvo éxito en movilizar a esa masa. Por el momento, de todos modos — estamos en 1941 —,
de lo que se trataba era de obtener una convergencia, en amplios sectores del Establishment, hacia una política económica
y social industrializante e incorporadora de conquistas sociales, pero de ningún modo a través de una movilización violenta. Las convicciones socialdemócratas de Di Tella, un tanto
atenuadas aunque no olvidadas en esta época, eran contrarias
a la agitación popular, de la que sobre todo se conocía en la
época la de tipo bolchevique, a la que era decididamente
opuesto.

En el ambiente de la derecha autoritaria y eclesiástica había
convergencias hacia programas económicosociales del tipo des-
cripto, aunque con otro basamento ideológico, y con una clara
simpatía hacia los países del Eje. El temor anticomunista era por
cierto predominante en ese sector. Así, por ejemplo, Virgilio Filippo, cura párroco de San Antonio, en Villa Devoto, que luego
se afiliaría al peronismo, decía en emisiones radiales de 1938
(publicadas en un libro en 1939) que él tenía que enfrentar a
quienes "bailan tranquilos sobre un volcán a punto de entrar en
erupción", añadiendo que sus numerosas condenas a la acción
de los judíos "no eran antisemitismo sino nacionalismo sensa-
to". Hacía suyas las palabras del conocido estadístico Francisco
Latzina, quien ya a fines del siglo pasado alertaba acerca de que
"no sería imposible que viéramos algún día no lejano la gente
desesperada agarrarse de la política como de un pretexto para
convulsionar el país. Las montoneras que entonces se formen
no saquearán las estancias por razones políticas, sino por razones de estómago". Filippo agregaba que cuanda él hablaba

"contra el capitalismo usurero [era] fácil tratarlo de socialista, comunista o revolucionario", pero eso era un error. De la misma manera, no por atacar al comunismo él debía ser considerado fascista, ni antisemita por denunciar repetidamente las maniobras del judaísmo internacional.[4]

Con estos grupos Di Tella no podía transar, y lo más cercano a tener un diálogo con ellos era incorporar a Alejandro Bunge al Instituto, pasando por alto las preferencias que éste, como gran parte de los católicos de aquel entonces, tenía por el falangismo. Pero la línea se trazaba muy netamente cuando se pasaba del falangismo a los regímenes imperantes en Italia o Alemania. De hecho, sin embargo, la convergencia que se produjo, al formarse el primer peronismo, se basó en la incorporación de esos sectores ideológicos, importantes en la intelligentsia de derecha, pero sobre todo muy aceptados, abiertamente o no, en las fuerzas armadas. Aquí estaba el talón de Aquiles del proyecto de convergencia industrial-militar al que propendía el Instituto de la UIA, pues si se rascaban las declaraciones industrialistas de muchos voceros de las fuerzas armadas, lo que aparecía era cualquier cosa menos un demócrata. Y las convicciones en tal sentido de Di Tella eran muy fuertes, lo que lo imposibilitaba para llevar a cabo con más eficacia el tipo de alquimia que la selección de conferenciantes demostraba existir en la mente de los inspiradores del Instituto.

Quizás si hubiera vivido más, y el país seguido una senda democrática, Di Tella hubiera evolucionado hacia posiciones más congruentes con su rol empresarial, dejando de lado su etapa juvenil socialista, y muy probablemente hubiera desempeñado cargos políticos, al menos al nivel de los que luego ejercerían sus amigos Miranda y Lagomarsino. Esto de todos modos no ocurrió, entre otras razones porque murió a los 56 años de edad, en 1948.

Es interesante, sin embargo, adentrarse un poco en esta senda de las hipótesis contrafácticas, elemento esencial aunque no siempre reconocido, de cualquier elaboración sociológica. Lo que pasaba en la Argentina es que no había una estructura partidaria realmente capacitada para expresar los intereses de un empresariado industrial necesitado de romper lanzas con el sistema agroexportador.

Si uno tomara el ejemplo europeo, se podría preguntar por qué no se dio en la Argentina la alternativa entre un partido conservador más ruralista, y otro liberal industrializante, eventualmente proteccionista a pesar de su nombre. De estos dos componentes, en la Argentina sólo existía el primero. En Chile sí se daba esa dualidad, aunque ninguno de esos dos partidos canalizaba intereses realmente industriales, ya que el liberalismo estaba más bien ligado a sectores mineros, que por supuesto lo último que querían era proteccionismo.

El ejemplo chileno, sin embargo, brindaba una alternativa interesante: la de un Frente Popular, liderado por un radicalismo moderado, no agitacionista, aunque aliado a sectores objetables, como los comunistas. Esa coalición había llegado al poder en 1938, y su programa incluía una promoción industrial y planificadora, mediante la Corporación para el Fomento de la Producción (CORFO), que Di Tella conocía muy bien, mediante la sucursal que tenía en ese país, dirigida por su cuñado Juan Robiola, que le mandaba mucha información al respecto. En la Argentina se estaba formando una alianza parecida, muy promovida por sus amigos del partido Socialista. Pero justamente en este país el radicalismo, muy distinto al chileno, tenía grandes dudas acerca de la "desnaturalización" de su trayectoria intransigente, que no le facilitaba las alianzas, incluso hacia la izquierda, y al final la coalición se hizo imposible, salvo, de manera muy diversa, ante la amenaza peronista, en 1945, cuando era ya tarde.

Quedaba entonces la posibilidad de generar dentro del gobernante partido Demócrata Nacional una corriente más industrializante, y más dispuesta a someterse al veredicto de las urnas. Este planteo es congruente con la selección de personalidades conservadoras y radicales antipersonalistas en el elenco directivo del Instituto de la UIA. Pero no había suficiente fuerza social detrás de este esquema. Dada la debilidad política de la burguesía argentina — en su mayoría todavía extranjera, sin ciudadanía — el verdadero partido industrialista eran las fuerzas armadas. Parecida situación, por motivos distintos, se daba en Brasil, donde se expresó desde los años veinte en una agitación militar denominada tenentismo, que al final confluyó con Vargas en la revolución cívico militar de octubre de 1930.

(¹). Citado por Carlos Escudé, *Gran Bretaña, Estados Unidos y la declinación argentina,* Buenos Aires, 1980, p. 51.

(²). Instituto Alejandro Bunge de Investigaciones Económicas y Sociales, *Soluciones argentinas a los problemas económicos y sociales del presente,* Buenos Aires, 1945, p. 112.

(³). Agregaba, de todos modos, dirigiéndose a sus hijos, que esas farras terminaron al poco tiempo de "venir ustedes".

(⁴). Virgilio di Filippo, *El monstruo comunista. Conferencias radiotelefónicas irradiadas el año 1938 por LR8 Radio París de Bs As,* Buenos Aires, 1939, pp. 7, 473, 457.

CAPITULO X

EL GOLPE DE 1943 Y SU CONTEXTO POLITICO

A mediados de 1943 se estaba preparando la candidatura conservadora (seguramente ganadora, con los métodos usuales) para las elecciones de setiembre de ese año. El conservadorismo estaba dividido en dos corrientes. La más progresista, o democrática, era la encabezada por el gobernador Rodolfo Moreno, de Buenos Aires, que había reemplazado al fraudulento Manuel Fresco, y que estaba al frente del muy autonomista partido Conservador de la Provincia de Buenos Aires. El centroizquierdista Argentina Libre (15/4/1943), tratando de sembrar cizaña en el campo adversario, afirmaba pocos días antes del golpe, en abril de 1943, que seguramente el sector "agrícola-ganadero, con su sentido democrático-oligárquico", de la más avanzada región del país, se resistiría a las imposiciones del "sector feudal y burocrático del Norte, que pretende encaramarse en la presidencia de la República" (aludiendo a Robustiano Patrón Costas). Rodolfo Moreno, por presión del presidente Castillo, que amenazaba intervenir la provincia, se había visto obligado a ofrecer su renuncia a la gobernación, y ahora los sectores democráticos progresistas de la política nacional esperaban que le fuera rechazada. Para esto el partido conservador bonaerense (Demócrata Nacional) tendría que luchar, como lo prometía su dirigente, el senador Antonio Santamarina, defendiendo a su más potable candidato presidencial, Moreno, o eventualmente al mismo Gral. Justo.

La oposición estaba lentamente armando una alianza, muy promovida por el partido Socialista, los sindicatos de la CGT nº. 2, dirigida por socialistas y comunistas (sus líderes eran Francisco Pérez Leirós y Angel Borlenghi) y grupos demoprogresistas. Ahora se esperaba la decisión de la Convención Nacional de la Unión Cívica Radical, donde parecía haber mayoría a favor, especialmente en el sector unionista. Ya en los años treinta se habían realizado campañas conjuntas del partido Socialista, el Demócrata Progresista, y la Unión Cívica Radical, dirigida en ese entonces por Marcelo de Alvear, aunque con oposición del sector "intransigente" cordobés nucleado alrededor de Amadeo Sabattini. Ahora nuevamente existía la posibilidad de que los sabattinistas se negaran a los acuerdos electorales, aceptando, eso sí, el apoyo de los demás a su fórmula.

El Grupo Obra de Unificación (GOU)

En el ejército operaba una logia, denominada Grupo Obra de Unificación (GOU), con orientación nacionalista, con simpatías por los países del Eje Roma-Berlín-Tokio, al que le asignaban fuertes posibilidades de ganar la guerra. Algunos de sus miembros, sin embargo, eran más pragmáticos, y buscaban desarrollar una política que permitiera al país asumir un rango importante en el mundo, como líder de un área económica sudamericana.

En las Bases de esa organización se declara que "estamos frente a un peligro de guerra, con el frente interno en plena descomposición", debido a la "acción disolvente de las diversas entidades y agrupaciones al servicio de judíos y comunistas". Es interesante ver lo que se les recomendaba leer a los miembros de este grupo, como forma de documentarse acerca de los "gravísimos hechos consumados por los gobiernos anteriores". Figura en primer lugar *La tragedia argentina*, de Benjamín Villafañe, antiguo radical luego vuelto antipersonalista y decidido anticomunista, que por otra parte denunciaba los negociados realizados bajo los mismos regímenes conservadores. Luego hay tres cortas obras del escritor nacionalista José Luis Torres, autor de *Los perduellis*, libro donde denunciaba a los enemigos internos de la patria. Se trata de una *Carta abierta al Ministro Culaciati*, un *Folleto a las Fuerzas Armadas*, y otro trabajo denominado

Una de las tantas maneras de vender a la Patria. Para no descuidar la economía, se completaba la lista con la *Historia de los ferrocarriles argentinos*, de Raúl Scalabrini Ortiz. No sería raro que éste y otros documentos hayan sido redactados por Giordano Bruno Genta, pensador de extrema derecha con amplio predicamento en ámbitos castrenses.[1]

Ante la perspectiva de que se mantuviera el régimen conservador, en una versión más probritánica, bajo Robustiano Patrón Costas, el golpe se verificó el 4 de junio de 1943. En un primer momento los Radicales y algunos sectores obreros y de izquierda pensaron que el nuevo gobierno podría resultarles favorable. Pronto, sin embargo, ante el predominio de sectores ultraderechistas en algunos estratégicos nombramientos, esos grupos pasaron a la oposición. Las medidas represivas se sucedieron unas a otras: censura de prensa, disolución de los partidos políticos, intervención de sindicatos, apresamiento de dirigentes, intervención a las universidades nacionales, ubicación de connotados intelectuales simpatizantes del fascismo en posiciones clave.

En Tucumán el Interventor Alberto Baldrich decidió realizar una experiencia piloto de lo que no titubeaba en llamar "nuevo orden", palabra puesta en boga por el régimen alemán. Decía que "para que la Argentina no sea comunista, es necesario que sea cristiana, no sólo en el orden de la fe, sino en el de la organización social". Preveía en un futuro próximo "convulsiones sociales" que extenderían a la Argentina el previsible caos social que dominaría a Europa, como había ocurrido después del anterior conflicto mundial.[2]

La preocupación por los "ejércitos de desocupados" era participada por los intelectuales católicos que publicaban el diario El Pueblo y que se nucleaban también en el Instituto Bunge de Investigaciones Económicas y Sociales, que preveían para el próximo futuro "una competencia ruinosa para buena parte de la industria nacional, provocando la desocupación industrial y el estancamiento de la actual diversificación de la producción". Con base en la doctrina social de la Iglesia, agregaban que había que aplicar elementos de planificación para evitar "un verdadero cataclismo económico y social para el país". Dejado a sí mismo, el capitalismo era, a su juicio, "enemigo de la propiedad", o sea, de la pequeña y mediana propiedad, en favor de los monopolios y grandes empresas internacionales.[3]

El temor al comunismo estaba alimentado por la perspectiva de la proliferación de los Frentes Populares que habían tenido vigencia en Francia, España y Chile, países cuyas experiencias eran consideradas paradigmáticas. El Coronel Humberto Sosa Molina, miembro del GOU, cuenta la impresión que le causó ver marchar miles de manifestantes el Primero de Mayo de ese mismo año 1943, con el puño en alto y caras amenazantes.

Cuando se produjo el golpe, Di Tella sintió hacia él un fuerte rechazo. El ambiente de exiliados antifascistas y políticos socialistas locales en que se movía era, por cierto, muy contrario al nuevo régimen, después de algunas dudas durante los muy primeros días, en que se podía pensar que así como en el 30 los conservadores habían volteado a los radicales, ahora era el turno de los radicales (como Sabattini), pero eso fue un espejismo muy corto.

Alrededor de un año después del inicio de ese régimen, Di Tella, muy en secreto, confió a su familia y a algún amigo, que estaba por estallar una "revolución" (así se llamaba en la época a cualquier golpe militar) en la que él participaría, junto con el Coronel Savio, con quien había tenido una reunión en El Tigre, para volver a la constitución. Pero nada ocurrió, y las responsabilidades empresarias obligaban a Di Tella a ser muy cuidadoso, para evitar represalias por parte de un gobierno poco respetuoso de los derechos de los opositores.

Derechización del régimen, y su política externa: Bolivia y Chile

Hacia fines de 1943 la derechización del régimen se hizo más patente, y pareció que se embarcaba en una política de expansionismo geopolítico en el continente, comenzando por Bolivia y Chile. En Bolivia la logia Razón de Patria (RADEPA), parecida en sus orientaciones ideológicas al GOU, dio un golpe, dirigido por el Gral. Gualberto Villarroel, en combinación con el recientemente formado Movimiento Nacionalista Revolucionario (MNR) de Víctor Paz Estenssoro. Se comentó en círculos diplomáticos que el gobierno argentino había estimulado de diversas maneras la realización de este golpe, y que estaba dispuesto a apoyarlo en la formación de un núcleo antiyanqui.

Al mismo tiempo se estaban intentando algunos acercamientos con el gobierno de Chile, que desde posiciones bien diferentes ideológicamente parecía converger en una común actitud antinorteamericana. El Presidente Juan Antonio Ríos, elegido en 1942 por una versión del Frente Popular, aunque ya sin los comunistas, se había distanciado del grupo político que lo había elegido, y gobernaba con un ministerio de radicales adictos y con gente de la derecha (partido Liberal), pero siempre dispuesto a nuevas recombinaciones de alianzas, hasta quizás incluir de nuevo al Partido Comunista.

Una misión argentina, enviada por el nuevo gobierno militar, ofreció entonces un programa de integración económica entre ambos países. Esto era bueno para la SIAM, tanto para hacer circular más libremente sus productos industriales, como para vender mejor el azufre chileno en el vecino país. Pero la cosa no era tan buena para los industriales chilenos, agrupados en la Sociedad de Fomento Fabril, que ya se preparaban para hundir cualquier programa de ese tipo, como informaba Juan Robiola, agregando confidencialmente, "pero de buena fuente", que Federico Pinedo había viajado desde la Argentina, en noviembre de 1943, para

> prevenir a los dirigentes políticos chilenos de izquierda del alcance internacional que el fascismo argentino quiere darle a su doctrina y a su posición, tratando de tomar contactos con grupos afines en los otros países. Dicen que Pinedo pidió, rogó y lloró, que no hagan la unión aduanera, porque dice que sería afirmar al gobierno argentino. En la revista Ercilla (izquierda comunizante, pero no comunista) han publicado un artículo que le mando sobre el gobierno y Perón, y le van a poner un asunto de espionaje que hubo hace algunos años, en 1936 o 1937, con nuestro agregado militar que yo recuerdo de nombre Leo-

nardi, o Lonardi, que habría sido preparado por Perón. Yo lamento que la pasión política lleve a todos estos extremos, y, opositor como soy al gobierno de allí, considero un profundo error internacional querer formar ambiente contra ese gobierno con estas cosas.

El tema de la "penetración del GOU en Chile" siguió agitando a la prensa de ese país por un buen tiempo. Hay artículos con títulos como "Vasta red de espionaje argentino" y "Parece operar en 'células' la vasta organización argentina descubierta", en Las Noticias Gráficas de Santiago de Chile (23 y 26/4/1942). Se decía que la Argentina empleaba a unos contrabandistas para sacar de Chile materiales estratégicos de valor militar, y que posiblemente se trataba de un intento de preparar un golpe de Estado con elementos adictos al GOU. Las denuncias provenían de sectores de izquierda y del partido Radical, este último distanciado del gobierno.

Hacia fines de 1944 ya había un grupo de exiliados argentinos en Chile que publicaron al menos un número de una Gaceta Argentina, donde se informaba sobre la dictadura del vecino país. En un artículo sin firma se comenta la formación de un Consejo de Defensa Nacional, "al mejor estilo nazifascista", para preparar al país para una guerra. También reproduce varias de las opiniones acerca del rol de la industria para la defensa, vertidas en las conferencias de la Unión Industrial Argentina por los Ttes. Cneles. Mariano Abarca y Alejandro C. Unsain, ambos comentando el discurso de Perón en la Universidad de La Plata, y por el Cnel. Carlos J. Martínez. Igualmente cita al Mayor Raúl A. Speroni, director de la Fábrica Militar de Municiones de Artillería "Borghi", quien afirmaba que "la industria de guerra es el problema fundamental que se le presenta al organizador militar argentino".

La planificación y el desarrollo educativo

Di Tella, aunque no pronunció ninguna de las conferencias del Instituto de la Unión Industrial, debe haber concurrido a casi todas, pues era uno de sus principales inspiradores, y Secretario, junto con Ricardo Ortiz, de su Comisión de Honor. Sus opiniones pueden deducirse, de todos modos, de otras fuentes. En su libro *Problemas de la Posguerra*, se refirió a las dificultades económicas que se seguirían a la finalización de la contienda, señalando que los Estados Unidos estaban ya muy preocupados por lo que sucedería al advenir la paz, porque temían perderla después de vencer por las armas. Alertaba además sobre la necesidad de que en la Argentina se empezaran a realizar estudios sobre el tema, y que se dictara "una ley para dar a toda la población trabajadora la liberación de la necesidad, 'freedom from want' como dice Beveridge en su famoso informe".

En un viaje a los Estados Unidos, realizado en 1943, se había conectado con la National Planning Association, donde se reunían economistas y otros profesionales, empresarios y políticos, interesados en estudiar y difundir las experiencias de la plunificación nacional democrática. El presidente de la entidad, William L. Batt, le escribió agradeciéndole

> su contribución al éxito de esta Asociación, y pensando que Ud, como miembro de la NPA, estará orgulloso, como yo, de los signos de progreso registrados en las páginas que le adjunto. Los discursos (del noveno aniversario de la NPA) han sido hechos por hombres que, cualesquiera sean sus primeras simpatías, hacia la administración industrial, el sindicalismo, o la agricultura, están unidos acerca de la esencial conveniencia de una planificación democrática para el futuro, reconociendo la interdependencia de nuestros agrupamientos económicos y la necesidad de ponerse de acuerdo acerca de lo esencial de las políticas nacionales como primer paso hacia resolver las discrepancias en los detalles. Marion Hedges, uno de los fundadores de la NPA, hace poco confirmó esta necesidad cuando dijo que 'el futuro pertenece a los asesinos o a los planificadores'.

Terminaba indicándole que acababan de organizar una conferencia del ex gobernador Herbert Lehman, un conocido "libe-

ral" norteamericano, en ese momento jefe de la UNRRA (United
Nations Relief and Reconstruction Administration). Obviamente,
Di Tella había encontrado un espíritu afín, y esta vez no necesa-
riamente italiano.

Quizás el grupo le recordó lo que él había intentado en el
Instituto de la Unión Industrial. Sin duda le hubiera gustado organizar algo de ese tipo en la Argentina, y algunas conversaciones con sus hijos ya adolescentes permitían vislumbrar ese proyecto, que se haría siguiendo el modelo de las fundaciones
creadas por empresarios exitosos en el país del norte. Su amigo
Alberto Pecorini, en una muy sentida nota necrológica publica-
da en Italia Libre, recordaba que en diecisiete años que duró su
relación nunca le había hablado de sus fábricas, y en cambio le
preguntaba a menudo "cómo estaban organizadas las fundaciones culturales y sociales promovidas por aquellos industriales
gigantes. Tengo la impresión de que si hubiera vivido veinte
años más hubiera construido alguna cosa bien más grande que
sus fábricas".

En lo relativo al desarrollo tecnológico, en su libro *Problemas de la posguerra*, tras hacer algunas consideraciones elogio-
sas respecto a los "ingenieros, químicos, técnicos y obreros argentinos", señala que se precisan muchos más:

> Según las estadísticas del año 1939, de los 105.000
> alumnos de la enseñanza secundaria sólo 7.500 frecuenta-
> ban las escuelas industriales, establecimientos que suminis-
> tran los técnicos de las industrias, y casi 8.000 los que asis-
> ten a las escuelas de artes y oficios, que deberían darnos
> los obreros especializados. Es fácil para una industria com-
> prar máquinas y levantar edificios; es ésta una obra de me-
> ses. La obra de formar profesionalmente a los hombres que
> deben mover esas máquinas es lenta y no se improvisa.
> Cualquier atraso difícilmente se recupera. Es indispensable
> dar manos a la obra sin demoras para que no sufra conse-
> cuencias serias la industria del país, pues ésta nunca podrá
> desarrollarse sin técnicos y obreros capaces.

En otro trabajo publicado en la Revista de Economía Argentina en el año 1945, Di Tella analizó el tema de la inflación, señalando que se estaba entrando en su "faz más peligrosa — al
menos desde el punto de vista moral — que es la que obra so-

bre el espíritu del individuo y le convierte en un escéptico sobre el valor del ahorro y del rendimiento del trabajo en general". Todavía había tiempo de reaccionar, existiendo al respecto "un [inmenso] campo abierto a la actividad pública y privada. Para no citar más que un ejemplo, bastaría recordar que una de las obras más necesarias es la de la vivienda popular".

A la vuelta de un viaje por Europa en 1945, el diario La Nación le realizó una entrevista (13/11/1945), en la cual planteó su visión de la situación de posguerra y en ella Di Tella comentó que el viejo continente estaba totalmente destruido y agotado, y que "todas las esperanzas que existen de que Europa facilitara la reposición rápida de nuestros 'stocks' agotados y contribuir a nuestra recuperación industrial deben ser abandonadas, o por lo menos aplazadas." Ante la pregunta del periodista sobre las esperanzas para las exportaciones argentinas, da su opinión sobre el futuro de Europa:

> En un principio nos pagarán con un crédito de los que todavía quedan o los nuevos créditos que se les deberá acordar, pero, una vez pasado el lapso de este primer año, si consiguen reactivar las exportaciones para pagarnos tratarán de restringir las importaciones, controlarlas, etc. y se caerá de nuevo, lo temo, en alguno de los sistemas de comercio dirigido. El comercio libre, la libre iniciativa, se ha refugiado en los Estados Unidos, dispuestos a librar la batalla decisiva para demostrar que este sistema puede dar a un país empleo continuado y estabilidad económica, sin necesidad de recurrir a la máquina complicada y peligrosa de la economía dirigida. Es así que en el mundo veremos en los próximos años tres formas económicas: economía libre en los Estados Unidos; economía estatizada en Rusia; y una economía mixta en el resto de Europa, con vastos sectores socializados.

Al mismo tiempo señala que "a los partidos socialistas europeos les corresponde en este momento una gran responsabilidad histórica. Repuestos de la fuerte corriente hacia la unión con el comunismo, que habría terminado por absorberlos, tratan ahora de volver a sus antiguas opiniones doctrinarias, alentados por el triunfo del laborismo inglés, y en estos momentos son la esperanza de muchos que quieren las reformas económicas y sociales reclamadas por los pueblos, pero que se rehúsan terminantemente a ceder sus libertades individuales". También se refiere a la gran vitalidad de los movimientos demócrata cristianos, tanto en Italia como en Francia, donde en esa época el Movimiento Republicano Popular se perfilaba como el principal partido en número de votos, compitiendo por esa posición con los comunistas.

Pero en la Argentina el problema era otro: la entrevista estaba siendo realizada pocas semanas después del 17 de octubre de 1945.

(1). Robert A. Potash, *Perón y el GOU: los documentos de una logia secreta,* Buenos Aires, 1984, pp. 26, 109, 115.

(2). Intervención Federal en la Provincia de Tucumán, *Causas y fines de la Revolución Libertadora del 4 de junio: nueve meses de gobierno en la Provincia de Tucumán,* Tucumán, 1944.

(3). Instituto Bunge, *Soluciones argentinas para los problemas económicos y sociales del presente,* Buenos Aires, 1945.

CAPITULO XI

LOS ULTIMOS AÑOS (1945–1948)

Di Tella y el peronismo

Dado el tipo de entorno que existía en las esferas oficiales de la "Revolución de Junio", no es extraño que la mayor parte de la opinión liberal, y desde el centro a la izquierda, lo que incluía a Di Tella, se colocara en la oposición. Durante los años del régimen militar buscó, con discreción, apoyar a los elementos disidentes. En su casa a veces recibía, a horas desusadas, a alguno de los coroneles, antiguos integrantes del GOU, que ahora se oponían a Perón. Pero nada salió de todo esto.

La mentalidad de Perón era difícil de encasillar en un esquema clásico. Había participado, como gran parte de sus compañeros de promoción, en el golpe de 1930, siendo capitán. Estuvo en Chile como agregado militar, y luego partió para Italia, donde pasó los primeros años de la guerra mundial.

Ahí pudo estudiar las experiencias de planificación y extensión de beneficios sociales implantadas por Mussolini, a las que consideraba "una forma propia de socialismo". Su autor militar preferido era el alemán von der Goltz, un estratega del siglo XIX que argumentaba que para ganar una guerra se precisa un pueblo bien alimentado y educado, pues de lo contrario nunca actuará solidariamente con las autoridades de su país.

En cuanto al corporativismo, con su sistema de representación por medio de asociaciones de intereses en vez de partidos políticos, él impactaba durante los años veinte y treinta a gran cantidad de intelectuales en América Latina, ante la crisis de las instituciones liberales en todo el mundo. Antes que estas ideas

fueran tomadas por el fascismo, habían sido una parte importante del pensamiento social católico, y también de pensadores
liberales como Herbert Spencer y Emile Durkheim. En nuestro
continente, Haya de la Torre incluyó en sus planteos teóricos la
existencia de un Cuarto Poder, o cámara corporativa, con representación "cualitativa" del capital, el trabajo, y otras fuerzas sociales. En la Argentina también Ingenieros, escribiendo hacia
1920, había basado su aceptación del sistema soviético implan-
tado en Rusia en el hecho de que él representaba mejor los intereses de la nación que los partidos, evitando la situación existente bajo el régimen parlamentario, en que "el elector es un
cero a la izquierda después de elegir a los políticos profesionales que dirigen el partido de sus simpatías". Era necesario un
"perfeccionamiento de la vida política, que consistirá en marchar hacia formas cada vez más eficaces del sistema representa-
tivo, procurando que todas las funciones de la sociedad tengan
una representación en los cuerpos deliberativos".[1]

Una buena parte del programa de Perón fue expuesta en el
discurso con que inauguró su gestión en la Secretaría de Trabajo y Previsión (diciembre de 1943), cuando afirmó que "La ca-
rencia de una orientación inteligente de la política social, la falta de organización de las profesiones, y la ausencia de un ideal
colectivo superior, ha retrasado el momento en que las asociaciones profesionales estuviesen en condiciones de gravitar en la
regulación de las condiciones de trabajo y de vida de los trabajadores".[2]

Para poder realizar este programa se necesitaba una industrialización, que diera trabajo al excedente de mano de obra
que generaba cada año el campo, y para lo cual había que
adoptar una política de protección arancelaria. En su muy mentada "clase magistral" dada en la Universidad de La Plata, Perón
había sostenido que si en vez de gastar todo el dinero que usó
en comprar armamentos en el exterior, se lo hubiera usado para
comprar esos implementos en el país, se hubiera producido una
estimulación muy significativa del trabajo nacional.[3]

Durante el régimen militar de 1943-1946 se formó el Consejo Nacional de Postguerra, con la tarea de planificar la acción

económica necesaria para evitar los trastornos previsibles con el retorno a la paz. Muchos de sus lineamientos son los que luego se impusieron como política económica del gobierno constitucional. Di Tella fue invitado a participar en ese Consejo, y efectivamente concurrió a sus reuniones, pero se mantuvo reticente de participar en los equipos gobernantes.

Durante el año 1945 se creó el Banco de Crédito Industrial, muy central para proporcionar préstamos a largo plazo y moderadas tasas a los empresarios locales. El tema era muy delicado, y se jugaron muchas influencias acerca de quién sería designado miembro del Directorio. La Unión Industrial, todavía no distanciada del régimen de facto, consiguió una buena representación, junto a representantes de los dos ministerios castrenses (en esa época aún la Aeronáutica no era autónoma). Di Tella seguramente siguió de cerca este proceso, pero no participó en el equipo que orientaría a la institución crediticia.

Cuando se celebró la liberación de París, y luego la Marcha de la Constitución y la Libertad, Di Tella se identificó totalmente con el movimiento, aunque no estaba en el país durante el segundo de estos acontecimientos. Pero como forma de recordarlo para el futuro guardó los ejemplares de La Razón y de Crítica en que se lo describía con lujo de detalles. Las fotos en que aparecían juntos el concordancista Roberto Noble, el radical Silvano Santander y el comunista Héctor Agosti (representando a los exiliados de Montevideo) no deben haberle parecido ofensivas sino todo lo contrario: siempre había pensado que para oponerse a los regímenes de fuerza había que aunar voluntades, y — viéndolo desde una izquierda moderada — era sobre todo preciso incluir a elementos de la derecha civilizada, para romper el frente autoritario. Más dudas debe haber tenido acerca de la conveniencia de incorporar a los comunistas en la alianza, y en conversaciones privadas comentaba que ello no era prudente, pues alejaría a un nada despreciable sector del electorado, aparte de que empañaba la ejecutoria democrática de la oposición, pues nunca tuvo ilusiones acerca del régimen soviético.

A mediados de 1945, posiblemente presionado por las contradictorias exigencias de las necesidades de su empresa de no antagonizar a las autoridades, y de sus convicciones políticas, renunció al cargo de Tesorero de la Junta Ejecutiva de la UIA, y luego partió a un largo viaje a los Estados Unidos y Europa, combinando como siempre sus gestiones empresarias con contactos políticos. En Washington tuvo dos entrevistas con funcionarios del Departamento de Estado, una con John E. Lockwood (23 de junio) y otra con Nelson Rockefeller, esta última acompañado por otros funcionarios (3 de agosto). En esta última señaló, según resumido por Lockwood, que Perón no tenía apoyo en el país, más que en la guarnición de Campo de Mayo y un pequeño sector sindical; que la única solución para el país eran las elecciones libres; que la presente actitud de "mano fuerte" del embajador Braden era correcta; que los Estados Unidos "en el futuro deberían hacer más esfuerzos por obtener el apoyo y la comprensión de los pueblos de América Latina en vez del de sus gobiernos; que los empresarios argentinos están dispuestos, por razones políticas, a aceptar las dificultades impuestas por las restricciones a la exportación (de Estados Unidos)"; y finalmente que la decisión de Potsdam respecto a Franco significará "otro golpe para Perón y robustecerá la posición de los Estados Unidos en los ojos del pueblo argentino".[4] En Europa reestableció sus contactos con los políticos antifascistas, especialmente los que estaban intentando lanzar el Partito d'Azione como núcleo moderado reformista, y contribuyó a la organización de los envíos desde la Argentina de la ayuda individual y colectiva de paquetes de comida y ropa.

Los acontecimientos de octubre lo encontraron en Londres, y por supuesto fue entrevistado para ver qué opinaba de la nueva situación. Decidió entonces destapar completamente sus sentimientos al respecto, quizás aprovechando para limpiarse de las acusaciones que más de uno en el ambiente político y cultural le hacía de "colaboracionismo":

> Me ha sorprendido y apenado encontrar una difundida opinión en este país (Gran Bretaña): que nosotros, los argentinos, somos un grupo de fascistas. Este sentimiento, que he encontrado entre personas de todas las clases, es una desventaja para las futuras relaciones entre los dos países. Los argentinos son, entre los pueblos sudamericanos, los que más se parecen en su forma a los de las democra-

cias más avanzadas de Europa. He advertido que la oposición de algunos círculos contra el reciente gobierno de la Argentina se debe a que ese gobierno se proponía introducir reformas sociales de un carácter más o menos revolucionario. Esto es también un profundo error. El pueblo argentino desea las reformas sociales elegidas por el pueblo y aplicadas por un gobierno legal, pero no reformas impuestas por decretos-leyes. Una prueba irrefutable de que el pueblo argentino tiene sentimientos fundamentalmente democráticos es que a pesar de cuatro años de estado de sitio — cuatro años sin libertad de prensa, sin reuniones públicas, sin nada para formar la opinión pública — en el plazo de unos pocos días barrió del gobierno a los antidemocráticos. La lucha democrática de nuestro pueblo ha comenzado y continuará hasta que se haya eliminado el último vestigio de fascismo.

Estas palabras fueron publicadas en Buenos Aires en el diario La Nación justo el 17 de octubre de 1945, cuando una movilización popular, con apoyo tácito de algunos sectores armados y de la policía federal, obtenía la libertad de Perón y lanzaba su candidatura presidencial. Algunos días después, el diario peronista La Epoca (29/10/1945), dirigido por el antiguo radical yrigoyenista Eduardo Colom, sentenciaba: "Don Torcuato Di Tella sabrá mucho de heladeras pero poco de nuestro pueblo".

Ahora sí que iba a ser mejor callarse un poco la boca, como se lo solicitaba toda la parentela, para no seguir quemándose de esa manera. Sin embargo, siguió con sus aportes financieros al partido Socialista, usando como intermediario a su sobrino Torcuato Sozio, que llevaba valijas de billetes a Dickmann y a Solari, evitando por supuesto que esto trascendiera. Era su manera de apoyar la campaña de la Unión Democrática.

Su júbilo fue enorme ante las pizarras de Crítica cuando aparecieron los primeros resultados (en esa época se tardaba un par de semanas en tener los números completos del lentísimo escrutinio): ganaba la oposición, en lugares tan insólitos como San Luis y Corrientes, que por una casualidad fueron los primeros en conocerse. Pero pronto vinieron los otros guarismos, y hubo que resignarse a convivir con un régimen que si bien no era fascista, se orientaba cada vez más de manera monolítica y autoritaria, aparte de la agitación social que estimulaba y de los problemas que el sindicalismo ocasionaba en la empresa.

Pero, por el otro lado, la política proteccionista ahora se instalaba decididamente en el país. Quizás demasiado para su salud económica a largo plazo, aunque eso dependía de las políticas complementarias que se adoptaran. Lo concreto era que ahora se podría vender cualquier cosa a cualquier precio, y pensar en expansión. SIAM, vista ya entonces como una de las más grandes empresas industriales del país y aun de la región, tenía que cumplir un rol importante en estas tareas. Perón estaba consciente de esto, y en varias oportunidades trató de atraer a Di Tella a una más directa colaboración con el gobierno, sin lograrlo en cuanto a cargos formales. A través de José Figuerola, técnico español que había hecho su experiencia en temas de seguridad social durante el gobierno del Gral. Miguel Primo de Rivera (1923-1930), se le ofreció la Secretaría de Industria, mandada a hacer a su medida. A pesar de la diferencia ideológica, Di Tella respetaba a Figuerola como hombre entendido, y guardaba su libro sobre *La Cooperación Social en Iberoamérica* en su biblioteca. Sin embargo, no aceptó, sea por razones políticas, o por no comprometerse, o quizás por no descuidar la atención directa de su empresa, que enfrentaba un promisorio pero al mismo tiempo peligroso futuro de expansión.

La Unión Industrial Argentina tenía corrientes muy diversas en su seno. Los industriales estaban impulsados por contradictorios sentimientos hacia el nuevo gobierno, pues aunque se beneficiaban de la protección, se sentían preocupados por la política de agitación social prohijada por Perón. Por otra parte, un buen sector de entre ellos, especialmente el de la elaboración de alimentos, no necesitaba protección, y por lo tanto se colocaba más directamente como opositor al régimen. Durante la campaña presidencial la UIA apoyó a la Unión Democrática, a cuyo favor emitió un cheque que terminó siendo muy famoso, cuando manos anónimas lo ubicaron y fotocopiaron, transformándolo en caballito de batalla de la campaña electoral.

En abril de 1946 hubo una elección interna en la UIA, en que se enfrentaron dos listas, una netamente opositora y otra que buscaba llegar a un entedimiento con el gobierno. Esta última contaba con el aval de Luis Colombo, y en ella figuraba también Guy Clutterbuck, de SIAM, y Carlos Tornquist, de la metalúrgica TAMET y ex director de CADE. Esas elecciones fueron ganadas por escasa diferencia por la lista opositora al gobierno, dirigida por P. Gambino, apoyada por Lamuraglia.[5]

Finalmente, el nuevo gobierno intervino a la entidad empresaria, y trató de conseguir apoyos internos, pero al considerar que éstos no eran suficientes optó por disolver la organización y crear una nueva entidad. Es así como se formó la Confederación General de la Industria, por iniciativa del empresario catamarqueño, luego convertido en fuerte industrial, José Gelbard. Iniciativas paralelas crearon las Confederaciones del Comercio y de la Producción, aunque éstas nunca fueron significativas, pero sí lo fue, como sigla con sentido político, la unión de ellas en la Confederación General Económica (CGE), arraigada sobre todo en la pequeña empresa, la del Interior, y otros sectores cercanos al oficialismo.

La expansión de SIAM en la posguerra

En 1946 SIAM comenzó su mayor período de expansión, beneficiándose con un proteccionismo decidido y un tipo de cambio oficial sumamente favorable para sus insumos del extranjero. El problema principal de la firma lo representaba todavía la escasez de elementos importados para producir las heladeras domésticas. Por otra parte, después de la Segunda Guerra Mundial los empleados competentes de cualquier tipo eran sumamente escasos, y el desplazamiento de personal muy rápido. Sobre todo era difícil conservar ingenieros y técnicos por las posibilidades que la expansión industrial les ofrecía de establecerse por su cuenta.

La necesidad de flexibilidad e improvisación, de poder pasar de un producto a otro, había sido un factor imprescindible en los planes de Di Tella desde 1929. La experimentación de nuevos productos y su introducción en el mercado eran procesos constantes: heladeras alimentadas a querosene para las viviendas carentes de energía electrica y lavarropas para las que la tenían fueron dos nuevas líneas desarrolladas entonces. La heladeras a querosene, después de un contrato con Electrolux de Suecia, y los lavarropas al cabo de otro con Hoover. Siempre se buscaban nuevos productos o procesos que SIAM pudiera primero distribuir y luego fabricar. Por ejemplo, en 1947, la Aeronáutica Argentina otorgó a SIAM un contrato para la fabricación de dispositivos hidráulicos para los trenes de aterrizaje de sus aviones, a la que siguió la construcción en gran escala de esos implementos.

Di Tella pensaba en la fabricación de caños para gasoductos u oleoductos desde antes de la guerra, pero como ello requería maquinaria importada, nada podía hacerse mientras no se reanudara el comercio internacional. Para asesorarse recurrió a consultores norteamericanos, al tiempo que entraba en contactos con el ingeniero Agostino Rocca para la fabricación de caños sin costura de la firma Innocenti de Milán. Sin embargo fue convencido por los consultores externos de los inconvenientes del proceso y se inclinó por el sistema norteamericano Yoder. Para producir estos caños creó una nueva empresa, la Sociedad Industrial Argentina de Tubos de Acero, SIAT, un tercio con capital de la familia, un tercio con capital de SIAM y el otro con participación del Instituto Mixto de Inversiones Inmobiliarias, una dependencia del Banco Central. Di Tella confiaba en que la expansión de las actividades de YPF y Gas del Estado bastaría para justificar la inversión, pero estas expectativas tardaron en materializarse, y no lo harían hasta despues de su muerte.

A comienzos de 1947 hubo una huelga en SIAM, decretada por su Comisión Interna, con paralización por una hora en las oficinas de Avenida de Mayo el día 7 de enero, y extensión a toda la fábrica de Avellaneda al día siguiente, siempre con concurrencia al trabajo. La protesta era contra el jefe del servicio médico, Dr. Caupolicán Castilla, quien según los sindicalistas se resistía a otorgarles licencias por enfermedad aun cuando se accidentaran seriamente Los problemas laborales se hacían cada vez más difíciles de encarar, y Di Tella delegaba su tratamiento, en buena medida, en Torcuato Sozio, cuya personalidad le facilitaba el trato con la gente.

La "famiglia" y SIAM: el problema sucesorio

Si bien para 1948 SIAM comenzaba a producir grandes cantidades de lavarropas eléctricos, planchas y ventiladores, la prosperidad de la empresa se basaba en los mismos productos sobre los cuales iniciara su auge en la década anterior: heladeras, bombeadores y motores eléctricos. Para dirigir todas estas actividades, Di Tella tuvo que enfrentar el problema de la selección de personal adecuado, que combinara calificación con lealtad y honestidad. Contrató a varios ingenieros y técnicos, muchos de origen italiano, pero en gran cantidad apeló a la familia. En esto quizás seguía tradiciones de la cultura latina, como ha sido señalado por Cochran y Reina, en su estudio sobre el desarrollo de la empresa. Su propia historia le señalaba la importancia de la solidaridad familiar, que él había practicado intensamente. Al dar empleo a sus familiares, por un lado, les brindaba oportunidades de trabajo; por el otro, les exigía dedicación, y sabía que obtenía honestidad. De este doble contrato no escaparon, por cierto, sus propios hijos.

En la época de mayor desarrollo que la empresa tuvo antes de la muerte de su fundador (ocurrida en 1948, a los cincuenta y seis años de edad), sus principales funcionarios, sin embargo, no eran familiares. Aparte de Di Tella mismo, como Presidente, estaban Guy Clutterbuck y Antonio Sudiero. Clutterbuck, argentino descendiente de ingleses, comenzó como secretario privado, en base a su conocimiento del inglés, y ascendió hasta la posición más alta en el área comercial y administrativa. Sudiero, ingeniero italiano que vino en los años treinta, era el jefe de la fábrica. A pesar de su calificación, no creía demasiado en la administración moderna, y llevaba todos los datos en su famosa "libretita negra" de la que sólo se desprendía para dormir.

En los niveles siguientes, comenzaba la familia, de sangre o política. Como segundo en la fábrica estaba Juan Caserta, otro ingeniero italiano, experto en fundición, llegado también en los años treinta, que se casó con Emilia, una hija de Laura, la hermana de Torcuato. Luego había una nutrida lista de ingenieros y administrativos argentinos, pero mezclados entre ellos Angel Armetta, marido de Bianca, a cargo de la Caja; Alberto, otro hijo de Laura, apasionado por la mecánica; Agustín Sozio, hijo de Adele y del sastre rebelde, técnico químico; Arturo Uriarte, marido de Blanca María, otra hija de Laura, en contabilidad; Piero Sacchi, primo de María, a cargo del sensitivo tema de compras. Un hermano de María, Mario Robiola, era el abogado de la empresa, con sus socios Alberto Severgnini y Roberto Garber. El otro hermano, Juan, fue enviado a Santiago de Chile, donde estuvo hasta su jubilación al frente de la sucursal ahí instalada. Otro hijo de Adele, Néstor Sozio, fue a Sao Paulo, al frente de la filial de esa ciudad, y formó familia allá. En Montevideo, en cambio, la sucursal estaba en manos de un funcionario local no emparentado, Juan Colominas.

Siguiendo la tradición de sucesión "sobrinesca" que había establecido la ligazón de Salvatore con Torcuato, éste desarrolló una de particular confianza con el más joven de sus sobrinos, Torcuato Sozio, hijo de Adele. Justamente por ser el más joven, tuvo menos experiencia de los tiempos duros por los que pasó la familia al inicio, y pudo ir a la Universidad a estudiar abogacía, carrera no bien vista en la opinión de la familia, pero que le dio una formación complementaria a la predominantemente técnica de sus primos o hermanos.

Las mujeres por supuesto no contaban para estas cosas, aunque jugaban un rol muy importante y respetado, no sólo como esposas y madres de futuros sucesores, sino en algunos casos como representantes de la cultura y de la tradición familiar. Es así como Bianca, que aunque casada no tuvo hijos, cumplió el rol de memoria histórica de la familia, y de "persona culta", o sea que había leído la Divina Commedia, incluso la parte del Paraíso.

Hacia el fin de la Segunda Guerra Mundial, que le había significado una lucha constante y una tensión nerviosa quizás tan grande como la que le infligió la primera, Di Tella estaba con la salud algo quebrantada, sufriendo de alta presión, agudizada en sus accesos de ira, ocasionados al constatar alguna falla seria de sus subordinados. Siempre un poco pesimista en estos temas, a pesar de haber recién pasado los cincuenta años de edad, preveía una muerte cercana, cosa en la que acertó.

Aunque era de personalidad muy fuerte y autoritaria, y en la empresa nadie abría la boca para dar opiniones cuando él no las compartía, decidió preparar una sucesión. En esto actuó de manera poco común en nuestro medio, aunque la brevedad del tiempo que el destino le otorgó para consolidar el problema sucesorio hizo que sus planes tuvieran menor efecto que el previsto.

En síntesis, su sistema consistió en armar una troika, formada por los dos funcionarios más altos de la compañía, que además no eran parientes, Clutterbuck y Sudiero, y por Torcuato Sozio, el menor pero de mayor educación formal de los sobrinos, y con una personalidad muy fuerte. Tanto es así, que era capaz de discutirle a su tío durante la guerra en temas de política internacional, en lo que no coincidían, pues él era algo nacionalista, y como miembro de un grupo de esa extracción fue elegido en 1941 representante estudiantil en la Facultad de Derecho. Las discusiones, claro está, terminaban a los gritos, con Adele desesperada, gritando más fuerte aún "no le contestes de esa manera a tu tío".

Sozio fue enviado a hacer experiencia al estudio de Robiola, y luego pasó a ser secretario privado de Di Tella, causando algunos escozores en los demás primos, y quizás en sus propios hijos, aunque éstos eran aún adolescentes. Cuando Di Tella murió, en 1948, Torcuato Sozio, con sólo 31 años de edad, se vio de golpe prácticamente jefe de la familia, y como representante de ésta en la "troika", con una posición, de hecho aunque no formalmente, más fuerte que las de Clutterbuck y Sudiero, mucho mayores en edad y con más experiencia que él. Esto no podía menos que generar tensiones para el futuro, que sería muy largo y ajeno al tema de este libro tratar.

Más cercano al conocimiento de la personalidad de Di Tella es analizar su relación con sus dos hijos, Torcuato Salvador y

Guido, de cuya educación y formación mental se preocupaba particularmente, buscando prepararlos para ejercer cargos directivos en la empresa. Cuando ellos eran aún chicos, los llevaba todos los domingos a la fábrica, dejándolos pasear entre las máquinas para que se familiarizaran, charlando con el chofer y con Marcelletti, un gigante bonachón que hacía de portero. En algún momento Di Tella descendía desde el piso de arriba, como Júpiter Tonante, siempre discutiendo con sus lugartenientes, que aceptaban mudos sus reconvenciones, y ocasionalmente saludando a algún capataz u obrero que hacía horas extras.

Esta tortura era sólo compensada por la perspectiva de pasar por El Molino a tomar una granadina (sin papas fritas, porque arruinan el apetito) mientras se compraban exquisiteces para el sólito antipasto en la casa de Laura, donde se hacían las comidas familiares. Al llegar allá, y entrar a la cocina, donde bajo la mirada tranquilizadora de un Roosevelt de papel ella reinaba indiscutida entre una selva de ollas, se la veía emerger, casi siempre quejándose en tonos dignos de Aída de alguna desgracia que le acababa de ocurrir, porque era perfeccionista: "Maria, mi si sono ammaiuccate!"

Ya desde fines de la década de los treinta Di Tella estaba consciente de tener un rol muy importante en el empresariado argentino, y durante la guerra, como vimos, ejerció cargos en la Unión Industrial Argentina, y se vinculó con el ambiente político. Su objetivo inmediato era obtener protección aduanera para la industria, y fomentar una legislación social que pusiera al país al nivel de los europeos, en que ya se vislumbraban los primeros intentos de crear un Estado de Bienestar Social, acompañado de planificación, temas con los que estaba fuertemente consustanciado.

Es así como pensaba que su familia podría desempeñar un rol algo más que empresarial, que él mismo hubiera deseado cumplir, y para el cual su condición de extranjero — aunque naturalizado desde los años treinta — era un importante obstáculo. En algunos momentos de expansión les reconocía a sus hijos, cuya vocación industrial no era del todo clara, que "a él también" le hubiera gustado dedicarse a la política, y que qui-

160

zás lo hubiera podido hacer, retirándose de los negocios después de haberse hecho una posición, pero que no lo había hecho "por ustedes". Con este tipo de terrorismo moral, no es extraño que las carreras de sus hijos hayan sido algo menos que ortodoxas. También a Guido Allegrucci una vez le dijo, no demasiado seriamente, "Usted, con su mecánica, me ha desviado de mi vocación", episodio éste referido por Ettore Rossi en un artículo necrológico del Corriere degli Italiani (21/7/1958), publicado a los diez años de su muerte.

El rol político, en el sentido amplio de la palabra, que Di Tella pensaba que él o sus descendientes podían cumplir, no pasaba por la experiencia de comité, sino por la capacitación técnica, combinada con una responsabilidad social. Era preciso, claro está, ser ingenieros. Así como David Viñas reconoce, en un texto autobiográfico, haber sido heredorradical, los hijos de Di Tella fueron heredoingenieros. La formación cultural amplia, que tenía que acompañar al entrenamiento técnico, implicaba la interacción con personas del elenco gobernante, que Di Tella mismo cultivaba, y que, de vivir más, lo hubieran llevado muy probablemente a ejercer responsabilidades públicas. Lo complicado era saber dosar la involucración en el mundo de la polis, como para que ella no afectara a la necesaria dedicación a la empresa, que era la base de todo el resto. Difícil equilibrio, que quién sabe si él hubiera podido realizar, dada la pasión que ponía en todo lo que emprendía.

Ultimos viajes

En el verano de 1947 realizó, con su familia, un viaje por Estados Unidos y Europa. Ahí buscó nuevas relaciones comerciales, y especialmente sentó las bases para establecer una fábrica de tubos de acero para gasoductos y oleoductos, comprando la maquinaria en el extranjero, pero sin asociarse a capitales de ese origen. Dudó mucho entre adoptar tecnología italiana o norteamericana, optando finalmente por esta última. De todos modos, cuando ya estaba lanzada la operación, tuvo momentos de duda, y pasó por un período de intensa depresión durante el viaje, del cual sin embargo pudo salir airosamente. Pero ya su dinamismo no sería el mismo de antes, en el corto año y medio que aún le tocaba vivir.

Durante ese viaje tuvo muchas satisfacciones, también, y mezcló como siempre los negocios con las relaciones políticas, sin contar una verdadera razzia de obras de arte y muebles antiguos con los que terminó de dar un carácter de pequeño museo a su casa del barrio de Belgrano. En Italia vio a su amigo Sigfrido Ciccotti, que había vuelto a su patria y actuaba en el Partido Socialista Democrático, dirigido por Saragat. Di Tella, terco en sus preferencias políticas, financiaba a este partido, con contribuciones que producían la reacción emocionada de Ciccotti. Como parte de sus esfuerzos por canalizar ayuda económica a Italia, y de aunar voluntades, tuvo una entrevista con el Papa, lo que ayudaba a cubrirse las espaldas en Buenos Aires. Volvió a ver también al hijo de Francesco Saverio Nitti, en París, recordando su etapa porteña.

Con otros amigos, una vez, sacó a relucir el tema de Arturo Labriola, tema doloroso. Uno de ellos le respondió, con poca caridad: "El otro día lo vi en la Cámara, pero ni siquiera lo saludé", y Di Tella enseguida cambió de tema. Es que Labriola había tenido una extraña evolución, recayendo en su nacionalismo que lo había hecho apoyar la aventura de Libia ya en 1911. En 1935, cuando la guerra de Italia contra Abisinia, aprovechó el llamado a la unidad nacional y volvió a Italia, protegido por algunos amigos de antigua militancia sindicalista revolucionaria bien ubicados en el régimen, consiguiendo una posición docente. Estuvo poco activo políticamente, manteniendo un perfil bajo, pero hizo declaraciones en contra de la emigración antifascista que atacaba a su propia patria en guerra.

Al llegar las tropas aliadas, emergió otra vez a la luz política, buscando redorar sus antiguos laureles revolucionarios. Publicó varios libros, incluyendo unas muy necesarias *Spiegazioni a me stesso*, que obviamente no convencieron a muchos. Asumió una actitud de antiguo antifascista que, de todos modos, estaba también en contra de la partidocracia y del nuevo orden capitalista que iba a ser introducido en el país por las fuerzas de ocupación. Se hizo elegir diputado a la Constituyente por una lista denominada Blocco Nazionale, lo que le daría luego acceso automático al Senado (por el número de veces que había sido diputado) y más tarde fue electo miembro del Consejo Municipal de Nápoles, como independiente en la lista del Partido Comunista.

También otro *protegé* de Di Tella, Giannini, el brillante editor del humorístico Becco Giallo, había flaqueado, y para huir de la miseria había vuelto a Italia a editar el igualmente ornitológico Il Merlo, al que le siguió La Tribuna d'Italia, donde aparecían las colaboraciones de Labriola. Fracasos, mezquindades humanas, pero al menos ahora las armas habían dado su veredicto, y se podía contemplar la reconstrucción del país, para recuperar su lugar en el rango de los civilizados, aunque muy por detrás — aparte los museos y las ruinas — de la próspera Argentina, que debía saber ejercer su responsabilidad de ser el equivalente latino de los Estados Unidos.

Fue al volver de ese viaje que organizó, con Clutterbuck, Sudiero y Sozio, la troika que lo debía relevar de algunas de sus funciones directivas en la empresa, como se mencionó más arriba. Las presiones políticas sobre un industrial de su talla eran enormes, tanto por el lado de los halagos, como de los pedidos de fondos, y el hostigamiento sindical en la fábrica. Sozio se ocupaba cada vez más de llevar las relaciones públicas, con todo lo que ello implica en un régimen como el de aquel entonces.

Di Tella se estaba retirando casi totalmente de la política argentina, salvo sus relaciones personales con amigos y su dedicación antifascista, ahora convertida en política de apoyo a la recuperación italiana. No podía, salvo que asumiera totalmente el rol de industrial asociado al régimen, tener un rol público airoso. Cada vez se retiraba más, en sus fines de semana en Navarro, donde sólo invitaba a la parentela. Ya sus sobrinos lo cargaban : "Quién te ha visto y quién te ve..." Esto no dejaba de tener su efecto en su familia: la educación de sus hijos, el ejemplo completo que él les podría proporcionar, ya no iba a ser el que se hubiera dado bajo un régimen de libertades públicas y respeto por los derechos individuales.

163

Un buen día, a la noche, suena el teléfono en su casa: Evita, del otro lado del aparato, le pedía ayuda para construir una escuela en el Chaco. Sí, por supuesto, con mucho gusto. ...¿Entonces era verdad que Papá era un colaboracionista, como decían los muchachos en la Facultad?

En 1948, un último viaje, visitando por enésima vez aquel "su Estados Unidos", hoy convertido en el Cinturón Oxidado (rust belt): Ohio, Indiana, Illinois, Michigan, fábricas, negocios, proyectos, hoteles sin nada que hacer después de las cinco de la tarde. Y un último disgusto, una herida profunda e incurable: su hijo mayor no quería seguir sus pasos, quería abandonar la carrera, y ni pensar en dedicarse a la industria. "¿Querés ser periodista? ¿Como Giannini? Vos no respetás mi obra, no me has comprendido."

Al poco tiempo de volver a Buenos Aires sufrió un derrame cerebral con hemiplejia y afasia, muriendo después de tres meses, durante los cuales nunca se recuperó.

Entre los elogios fúnebres se distinguió uno proveniente de sus adversarios de L'Italia del Popolo, los Mosca:

> El Ing. Torcuato Di Tella no se había encerrado, como hacen muchos otros industriales, entre las cuatro paredes de su fábrica. Es así que no fue extraño al socialismo. Naturalmente era un socialista reformista y evolucionista que creía en la necesidad de la gradual educación de las masas. Su ansia de conocer y de saber lo había llevado a la Rusia Soviética, a donde llegó sin prevenciones. No volvió entusiasta, y se comprende, porque su formación espiritual no era ciertamente de las más adecuadas para comprender la extraordinaria palingenesia social que se desarrollaba en aquel país. L'Italia del Popolo, que lo tuvo siempre como amigo aun cuando las circunstancias políticas lo llevaron a militar en un campo político que no era precisamente el nuestro, siente profundamente el dolor de su partida.

Más lírico, Clarín saludaba a quien había demostrado tener

> el temple del héroe para descubrir, crear y creer en lo que nadie cree. La muerte se lo llevó envuelto en su misterio, en momentos en que su espíritu de empresa, inquieto y sin reposo en el afán de crear nuevas fuentes de trabajo y riqueza para la Argentina, encaraba la organización de importantes industrias metalúrgicas para agregar a las que ya

tanto contribuyeron a la independencia económica de la nación.

La Nación, en cambio, veía en él a una réplica de los hombres del Renacimiento, cuya vida acababa entre

> los retratos en que persiste la elegancia de los señores del siglo XVI, las telas tejidas con personajes mitológicos y follajes sutiles, mientras su mirada afanosa habrá buscado, al apagarse, la silueta familiar de las fábricas que levantó su esfuerzo, donde el humo de las chimeneas continúa proclamando su tenacidad robusta, su fe en el futuro de la Nación.

Fue en base a individuos como Torcuato Di Tella — quiero creer — que Marechal creó el personaje de Severo Arcángelo, organizando interminablemente un mítico banquete, para reconciliarse con los aspectos de la vida que no pudo vivir plenamente:

> Severo Arcángelo tuvo dos hijos. Pero él no se alejaba de sus laminadoras; y no los vio nacer y crecer, no entró en el círculo de sus juegos, no acarició sus mejillas ni se asomó a sus almas. Como extranjeros, tomaron un día el camino de la fuga; porque Severo Arcángelo vigilaba sus hornos, él y los mil hombres carbonizados que también se perdieron la gracia de sus hijos.

Siempre tan exagerados, los poetas. Al fin y al cabo, estamos aquí, todavía.

---

(1). José Ingenieros, *La democracia funcional en Rusia,* Buenos Aires, sin fecha, publicado aproximadamente en 1920, pp. 29-30.

(2). Juan D. Perón, "Se inicia la era de la política social", discurso radial del 2/12/1943, en Fermín Chávez, *Perón y el justicialismo,* Buenos Aires, 1984, pp. 23-24.

(3). J.D. Perón, "El Estado y la industrialización", ibídem, pp. 28-29.

(4). Fotocopias de memorandum internos del Departamento de Estado, obtenidos por Carlos Escudé.

(5). Jorge Schvarzer, *Empresarios del pasado,* Buenos Aires, 1991, pp. 94-99.

Esta edición
se terminó de imprimir en
RIPARI S.A.
General J. G. Lemos 248, Buenos Aires
en el mes de abril de 1993